英語と中国語
10年後の勝者は

五味洋治
Yoji Gomi

小学館新書

はじめに

19世紀はイギリスの時代、20世紀はアメリカの時代、21世紀は中国の時代と言われて久しい。早ければ２０２８年にも国内総生産（ＧＤＰ）で、中国がアメリカを抜く可能性があるという見通しもある。しかし中国の前にはアメリカが立ちはだかっている。米中間では知的財産権やハイテク分野で激しい対立が生まれた。相互に関税をかけ合う「貿易戦争」が起き、双方が痛手を負った。

　確執は経済だけでなく、軍事面にも広がっている。異例の3期目に入った中国国家主席の習近平は悲願の台湾統一を目指し、5年以内に動き出すとの見方がもっぱらだ。２０２2年2月にはロシアのウクライナ侵攻が起き、ロシア・中国とアメリカの対立に拍車がかかった。8月には、アメリカ・バイデン政権ナンバー3であるアメリカ下院議長ナンシー・ペロシが台湾を訪問した。これに反発した中国は弾道ミサイルを発射、台湾本島を取り囲むように空海域6か所で大規模な軍事演習を行い、偶発的な衝突が起きかねない事態にも発展した。バイデン政権は中国を「最大の競合国」と位置づけ、国務省内に専門家を集めた「チャイナ・ハウス」を新設した。長期的な視点で中国に対抗するのが狙いだ。

そんな現実世界の動きに先んじて、言葉の世界では、激しい「米中戦争」が起きている。

世界における事実上の公用語、共通語が英語であることを否定する人はいないだろう。世界最大級の統計調査プラットフォーム、ドイツの「スタティスタ（Statista）」によれば、英語を話す人は、母国語でない人も含め約15億人で、中国語の約11億人と拮抗《きっこう》している。しかし、影響力では圧倒的に英語が有利だ。世界のウェブサイトの約6割が英語で書かれているなど、使い勝手という点で見ても、英語が世界標準であることを疑う人はいない。

そんな英語に対抗するかのように、中国は中国語や中国文化に関する教育を安価で提供する「孔子学院」を世界に浸透させている。中国の影響力が強いアフリカなどではエリートが中国語を話す時代になりつつある。もちろん、自分たちの論理を強引に押しつけてくる中国への反発も高まっているが、それは逆に、中国が力をつけてきた証拠でもある。

世界の公用語は、時代によって変わっている。ラテン語やギリシャ語がその地位にあったこともある。アメリカでも、ヒスパニック系住民の増加でスペイン語話者が急増している。好き嫌いは抜きにして10年後、英語と中国語の立ち位置が逆転する可能性もある。

激しくぶつかり合う米中は、実は学び合う関係にあった。アメリカではセレブを中心に中国語の大ブームが起きた。逆に中国では実に４億もの人が英語を学び、早期の英語教育は過熱する一方で、政府がブレーキをかける事態となった。その一端を第１～２章で書いた。

現在中国は、自国の文化と言葉を世界に拡大し、特にアメリカやヨーロッパで激しい拒否反応を引き起こしている。一方で英語は、その国の方向を変える影響力を持ち続けている。しかし対立があるからこそ、言葉をめぐるおろかな覇権争いはやめ、お互い歩み寄るべきだろう。これが第３章のテーマとなっている。第４章では、英語が世界にどんな影響を与え、日本ではどう学ばれているのかに触れた。

われわれは英語でも中国語でもなく、日本語を話し、読んでいる。「日本語」の現状について触れねばなるまい。最後の第５章では世界にいる多くの日本語教師に日本語学習の現状、課題を聞いた。日本政府は、日本版の孔子学院「紫式部日本語講座」を世界に展開し、日本語の普及を計画したが、戦争中に日本語を統治の道具にした過去の経緯もあり、実現は見送らざるを得なかった。日本の国際的イメージを高めるパブリックディプロマシー（公共外交）は十分なのだろうか。

個人的なことだが、私は韓国と中国に、新聞社の特派員として計6年間駐在した経験がある。アメリカにも10か月留学した。外国語の大切さは人並み以上に感じている。このため自分の息子には中国資本によるオンライン英会話教室を受講させている。安価な上に質の高い授業が受けられるからだ。中国人の英語熱は、日本をはるかに上回っている。

日本でも小学校では英語の授業が必修となり、少子高齢化で勢いを失っている日本への不安も相まって、親たちは自分の子どもに「英語はマスト」と教えている。そんな中、現実的に、英語よりもまず中国語を教える選択肢はあるのだろうか。

時間をかけてもなかなか上達しない英語より、中国語を学ばせた方が将来役に立つのではないかと思うこともある。それとも、面倒でも英語と中国語を学ぶべきだろうか。

この本は、外国語をめぐるそんな小さな迷いからスタートしたものだが、実は日本という国が、この２つの国とどう付き合っていくべきかという大きな問題にもつながっている。

英語と中国語に関心を持って調べていると、何回も次の言葉に出会った。1993年にノーベル平和賞を受賞したネルソン・マンデラが残したものだ。マンデラは人種差別に反対して長い間投獄され、独房で生活した。その経験から言葉の大切さを身にしみて感じていた。

「相手が理解できる言葉で話す時、あなたの言葉は相手の頭に届く。相手の母国語で話す時、あなたの言葉は心に届く」

心を通わせたければ、なるべく相手の母国語で語りかけよ、ということだ。日本を含む世界の人々が選ぶのは、果たしてどんな言語だろうか。

2023年1月　五味洋治

目次

※文中では、中国語について、文脈にしたがって北京語、標準語、普通語、マンダリン、などと表記しているが、いずれも標準中国語を指している。
※中国語の簡体字は一部、日本の漢字に直している。
※英語の単語は固有名詞として定着しているもの以外は、小文字で表記している。
※基本的に敬称は略した。
※文中の日本円換算は当時を基準としているが、最近のものは為替変動が大きいため省略している。

第1章

セレブの間に巻き起こった中国語学習ブーム

15年後、われわれは中国語を話しているかもしれない

「中国に対抗しなければ、私たちは10〜15年以内にマンダリン（中国語の標準語）を話すことになる」

アメリカの民主党、オハイオ州選出の下院議員ティム・ライアンは２０２２年４月、こんな発言をし、アメリカのメディアに大きく報道された。

とんでもない発言、と思うかもしれないが、ライアンの地元を見ると、発言の背景が、ある程度理解できる。中西部のオハイオ州はブルーカラーの白人労働者が多く住む。社会階層は固定し、貧困や薬物依存症などがはびこる。人々が、中国に仕事を奪われているという強い怒りを持っている土地柄だ。

ライアンは、２０２２年の連邦上院選に出馬した。ライバルである共和党の上院選候補はＪ・Ｄ・バンスという投資会社社長だった。ライアンにとって、これ以上ない手強い相手で、接戦の末、バンスが勝利を手にした。

バンスは「負け犬」とも呼ばれる白人労働者階層の悲哀を描いたベストセラー『ヒルビ

リー・エレジー　アメリカの繁栄から取り残された白人たち』（関根光宏、山田文訳、光文社）の著者でもある。さらに、いまだに根強い人気を誇る前大統領のドナルド・トランプの支援も受けていた。

ライアンは中国強硬派であるトランプを意識し、中国に関して共和党以上に過激な発言を繰り返してきた。CNNによれば、地元の労働者に向けて「これは競争だ」と強調したという。その上で「赤い中国共産党政府は、あらゆる領域で私たちに取って代わろうとしている。ロシアによるウクライナ侵攻も見て見ぬふりをしている。私たちがこの問題についてアメリカ国内でしっかり論議することができないのなら、私たちはみな、マンダリンを話すことになるだろう」と語った。

この10年間のアメリカと中国の力の接近を見ると、あながち「比喩」と言って笑えないところがある。

中国の台頭が目立つようになったのは、2000年代に入ってからだ。それに呼応するように、アメリカを代表する多くの企業家やセレブが、一斉に中国語を学び始めた。今は米中間の緊張が影響して表には出てこないが、継続して学んでいる人もいるだろう。その一端を紹介しよう。

ネイティブの数で比較すれば中国語の勝ち

その前に世界で最も話されている言語について触れておこう。統計によって数字はまちまちで比べるほどに混乱するが、実は上位はほぼ変わらない。

1、2位は英語か中国語、続いてヒンディー語、スペイン語、フランス語などの順だ。日本語は10位前後であり、意外と話者が多い印象を受ける。

世界中で使われている統計調査プラットフォームのスタティスタ（Statista）によれば、話者の多い言語は、英語、中国語、スペイン語などだ。インターネット上で使われている言語の54％は英語だったという。ただ、子どもの頃から母国語として学んだ人（ネイティブスピーカー）で比べると、中国語が逆転するという見方が多い。

スタティスタと数字は違うが、語学教育で有名なベルリッツは、英語について11億３２００万人の話者がいるとしている。そのうち、ネイティブスピーカーは3億７９００万人で、非ネイティブスピーカーはネイティブの2倍近い、約7億５３００万人としている。

図1　世界での話者数と順位

母国語としない人を含めると英語話者が中国語話者を上回り、人気ぶりが分かる。ヒンディー語は、インド中部や北部で話されている言語。

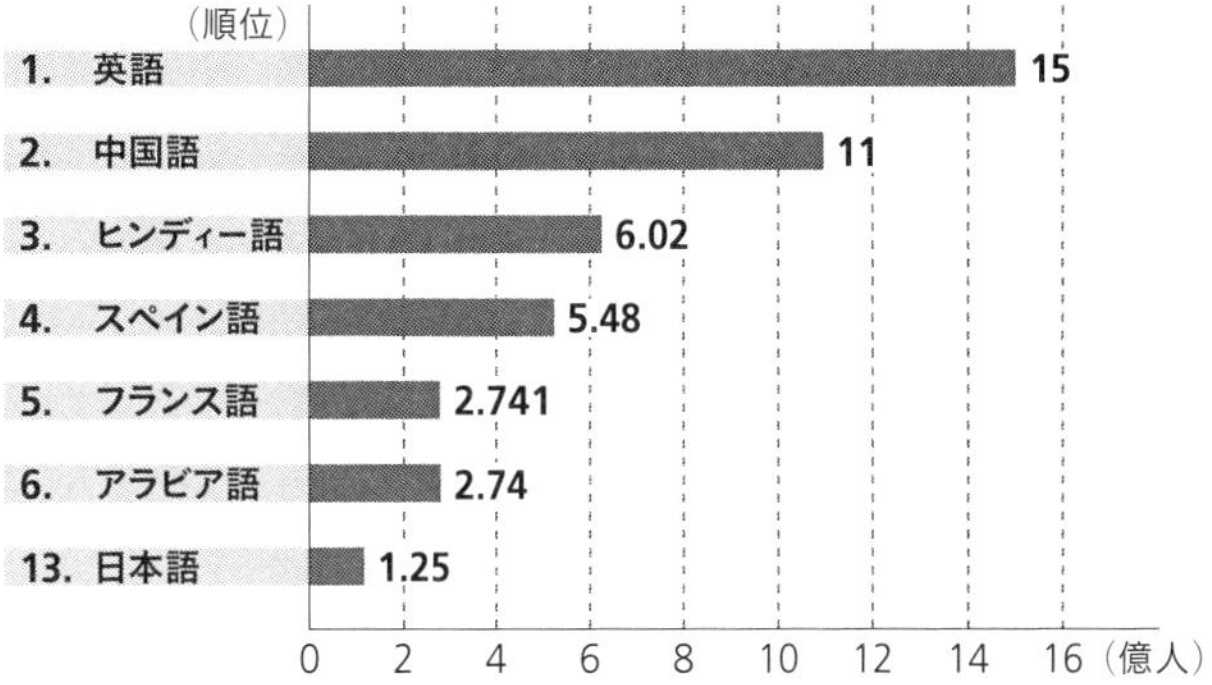

スタティスタのホームページより筆者作成

そしてベルリッツは、かつてのラテン語やギリシャ語のように、英語は今日の世界共通の言語となっており、「国際ビジネス、観光、テクノロジーではデフォルト（標準）」だと紹介している。

同じベルリッツのまとめでは、中国語は中国本土を中心に11億１７００万人の話者がいる。ネイティブが圧倒的に多く、９億人を超えている。インターネットに接続する人の20％は中国語を話すが、ウェブサイトのわずか１％強だけが中国語だとも紹介している。

ちなみにベルリッツによれば、世界には約７０００の言語があるが、世界の半分の人が話しているのは、そのうちの23の言語のいずれかだという。

第2外国語で常に人気上位となる中国語

日本で、英語と中国語はどんな関係になっているのだろうか。文部科学省の調査によれば、英語以外の授業を実施している高校は677校（２０２０年現在）ある。うち497校が中国語の授業を開設していた。続いて韓国・朝鮮語、フランス語、スペイン語の順だった。漢字を使う中国語は、日本人には比較的取り組みやすいことが影響しているようだ。

大学ではどうだろう。２０２１年の東京大学教務科の調査では、最も人気なのは意外にもスペイン語で、次が中国語だった。近年韓流ブームの影響で、第２外国語として人気が高まっている韓国・朝鮮語は３％で、フランス語、イタリア語などより少なかった。スペイン語や中国語が多いのは、世界的に見て話者が多いためだろう。大学生の間でフランス語が人気なのは、おしゃれな印象が影響していると思われる。

中国語はよく知られている通り、英語、フランス語、ロシア語、スペイン語、アラビア語と並び、国連の公用語だ。国際的なメジャー言語だが、「中国語」には大ざっぱに言って、北京語と広東語の２つがある。

中国は経済・軍事面で急速に力をつけており、脅威ともみなされる一方、日本やアジアの文化・社会・歴史の背景を学ぶには中国語が役に立つ。文学、映画、サブカルチャーなどでも中国は存在感を増している。

２０５０年には北京語とスペイン語、英語の話者が大幅に増加する

オンラインで語学教育を展開しているプレプリー（Preply）（本社・アメリカ）が、２０５０年にどんな言語が話されているか推計したところ、標準中国語（北京語）を母国語とする人の数は、２０２１年の９億人から11億人に増加し、話者世界１位の座を維持する。しかし中国の高齢化と出生率の低下により、予測される成長率は27％にとどまる。２位と３位はスペイン語と英語で、それぞれ44％の大幅な増加となるという。

ポルトガル語圏であるブラジルの人口増加で、ポルトガル語話者は増える見通しで、フランス語話者数も微増となる。ドイツ語話者は、人口減などの影響で35％もの大幅減となるが、ヨーロッパで最も安定した国であり、留学希望者は減らないだろうと予測している。

プレプリーはこの数字に関連し、「北京語は中国でのみ話されており、国際コミュニケーションの共通語としては英語を追い越せない」と結論づけている。

ホワイトハウスで中国語が話されていた

1929年10月24日、ニューヨーク証券取引所で株価が大暴落した。その日はのちに、「暗黒の木曜日」と呼ばれることになった。市場の混乱はその後約1か月間続いて、アメリカだけでなく世界の株式市場も大きく揺るがした。

この時の大統領（第31代、在任期間1929〜1933年）だったハーバート・フーバーは、未曾有の混乱の中で効果的な経済対策が打てず、失敗した大統領として現在まで語り継がれている。一方でフーバーは、意外にも北京語が流暢《りゅうちょう》に話せた大統領でもあった。

彼はスタンフォード大学で地質学の学位を取得するという変わった経歴の大統領だった。大学の同級生だった妻のルーも、スタンフォード大学で地質学の学位を取得した。2人は1899年2月10日に結婚、その翌日には2人は中国に向かい、仕事に就いている。1900年6月、義和団の乱として知られる政治的暴動により、フーバー夫妻は、ほかの外国人とともに約1か月間避難を余儀なくされたこともある。

仕事には中国語が必須だったため、2人は活動の拠点としていた中国の港湾都市・天津で、中国語の読み書きを本格的に学んだという。

仕事で使っていただけに、中国語の実力は相当なものだったらしい。2人はアメリカに帰国し、夫が大統領になったあとも、聞かれて都合の悪い話は中国語でしていたという。

アメリカ・アイオワ州にある「フーバー大統領博物館」の学芸員スペンサー・ハワードは、筆者の問い合わせに対して、「確かに2人は時々ホワイトハウスで、中国語で話していた。妻のルーの方が、はるかに中国語が上手だった」と教えてくれた。意外にも、今から100年ほど前のホワイトハウスの中で、中国語が飛び交っていたのだ。

もちろんフーバー夫妻は例外中の例外と言えるが、中国の経済発展に伴い、中国への関心は高まり、中国語を学ぶ有名人も出てきた。

ザッカーバーグは30分の質疑応答を中国語でこなした

「（中国語で）みなさん、こんにちは。ありがとうございます。北京に来られてうれしいです。

ここが大好きです。私の中国語はまだまだですが、今日は使ってみたいと思います」

けっして聴き取りやすいとは言えないものの、やや緊張した笑顔で中国語を操るTシャツの青年。ソーシャルメディア、フェイスブックの創業者マーク・ザッカーバーグだ。

２０１４年、彼は北京の清華大学を訪れ、聴衆の前でこうあいさつした。続けて30分間の質疑応答も、すべて中国語で通した。

この場で、「どうして中国語を勉強したのか」と聞かれ、こう答えたとされる。

「第一、我太太是中国人。她在家说中文、她的奶奶只说中文。我想要跟她们说话。几年前我和太太决定结婚。我要求她教我中文、她非常吃惊（まず私の妻は中国人です。家では中国語を話していますが、私は妻の母親とも話をしたかった。私は妻と結婚を決意し、中国語を教えてくれるよう頼みました。彼女は本当に驚いていました）」

そして、中国の文化を学びたいとも語った。「中国は素晴らしい国です。だから中国語を勉強したかった。中国語は難しいです。私は英語しか話せませんが、挑戦が好きです」

会場がどっと沸いた。司会役の男性はすかさず合いの手を入れた。

「では、みなさん、今夜はマークに挑戦してみませんか。中国語でやりとりしましょう」

会場を埋めた聴衆から、笑いがあふれた。アメリカを代表する企業家ザッカーバーグが中国語を話すという意外性が、中国人の心を開かせたのは間違いない。

ザッカーバーグの妻の名前は、プリシラ・チャンという。２人は、２０１２年5月19日、ザッカーバーグの自宅で、友人を招いて結婚式を挙げた。

中国語をテコにフェイスブックの再開狙う？

結婚式の写真を見ると、ザッカーバーグは黒っぽいネクタイに地味な背広姿、チャンは、質素な白いウェディングドレスを着ていた。

チャンはアメリカ東部マサチューセッツ州の生まれだ。両親はホア族（在ベトナム華僑《かきょう》）であり、難民ボートに乗ってベトナムからアメリカに渡った移民だった。チャンは家では広東語を話していた。名門ハーバード大学で生物学の学士を取得しただけでもすごい学歴だが、その後、カリフォルニア大学サンフランシスコ校の医学部を卒業し、小児科医となっている。

司会者は、中国人なら当然気になる質問をした。チャンとの会話が何語で行われているかだ。

　ザッカーバーグは、「普通語（標準中国語）も使って話している。彼女は私より多くの単語を知っている。彼女は広東語も話すことができる」と紹介した。

「ある日、私が、『なぜ自分は中国語のリスニングが下手なのだろうか』と聞くと、彼女は私に『あなたのリスニングは英語も下手よ』と答えたんです」と、ユーモアたっぷりに説明していた。

　フェイスブックは、世界で最も人気のあるソーシャルメディアだが、中国では２００９年以来、アクセスが遮断されている。政治的に悪用されたというのが理由だ。ザッカーバーグは、中国語の勉強ぶりを中国の政府や国民にアピールして、再開を目指していたのではないか。

　ザッカーバーグは２０１５年にも中国を訪問し、同じ清華大学で講演している。今度は約20分、メモも見ないまま中国語で通した。１年間で発音はさらに進歩し、複雑な内容を話せるようになっていた。また２人の娘であるマキシマには「陳明宇」という中国語の名前を付け、中国語を教えている。

ジム・ロジャーズは「子どもや孫に中国語を教えよ」

世界的投資家として日本でもよく知られているジム・ロジャーズは、中国への関心を率直に語ってきた。２００８年に出版され、日本でも翻訳された半自伝『中国の時代』（日本経済新聞出版社）には、中国の経済発展を確信して、３回にわたって中国を旅行した経験が書かれている。そして「中国へのこだわり」を、こう書いている。

「私はもう一歩先へ進む。19世紀が英国の時代、20世紀が米国の時代だったように、21世紀は中国が中心になって世界を牛耳る番だ。（中略）私にできる最高のアドバイスは、あなたのお子さんやお孫さんには中国語を習わせなさいということだ。彼らが生きている間に中国語は一番重要な言語になるだろう」

ロジャーズは本や講演で、「最高のアドバイス」を連発するが、このアドバイスは自分が本当に実践してみせた。２００３年に生まれた娘のハッピーに中国人の乳母を付け、中国語で会話をさせたのだ。おかげで彼女は、ネイティブ顔負けの北京語が話せる。

「もう一度言う。ドルを売って（筆者註・中国の通貨）元を買って、子どもに中国語を学ばせ、商品を買おう。

それから、自分自身の経験や眼力を使って競争優位のある中国の新興ブランドを見つけよう」（同書）

ロジャーズは、２００７年にニューヨークからシンガポールに引っ越している。これには、子どもに中国語を教える狙いもあった。

２０１９年２月、中国の新年に中国国営のＣＣＴＶで放送された番組にハッピーと妹のビー（当時15歳と10歳）が出演した。流暢な中国語で歌を披露し、テレビの前の聴衆を引きつけた。

この時歌ったのは、「声律啓蒙《ションリュイチーモン》」という中国の詩を集めた本の一部だ。中国の天文、花木、鳥獣、人物などが出てくる。中国人でも見慣れない単語が多いものの、２人はにこやかな表情で、何も見ずにごく自然に歌った。

歌が終わったあと、妻とともにステージに上がったロジャーズは、司会者から「金融界の大物です」と紹介されると、「不要《プーヤオ》」（中国語で、その必要はないの意味）と手を振ってみせた。

娘が中国語を話せるようになったことを「私が行った投資の中で最も成功したものだ」

と、自慢げに語っていた。

この当時、2人の娘はシンガポールで子どもに中国語を教えるアルバイトをしており、1時間に25ドルを稼いでいたという。ささやかな額だが、中国語がカネになることを、身をもって証明したと言えよう。

習近平が度肝を抜かれたトランプの孫の歌のレベル

「（彼女の中国語は）A＋（非常に優れているという意味）だ。小さなスターだ。中国に来てほしい」

アメリカ大統領のトランプが、iPadを持ち出し動画を再生して見せたところ、中国国家主席の習近平は、うれしそうな表情をして、こんな言葉を返してきた。2017年11月のことだ。

この時トランプは、中国公式訪問中だった。すでに米中間には貿易をめぐる緊張関係があったが、まだまだアメリカには精神的な余裕があった。

習は北京を代表する観光地、故宮博物院でトランプ大統領夫妻を迎えた。悠久の中国文化の中心地を、アメリカのトップとともに歩き、その姿を国内の視聴者に見せる狙いだろう。ｉＰａｄの動画を見たのはこの時だった。そこに映っていたのはトランプの孫娘アラベラだった。

アラベラは、トランプの娘のイヴァンカ・トランプとジャレッド・クシュナー夫妻がもうけた３人のうち年長の子だ。中国語を話すベビーシッターを雇って、１歳の時から中国語を学び始めた。それだけに、発音はネイティブ並みと言っていい。

カラフルなチャイナドレスをまとったアラベラは、約２分間の動画でまず「習おじいちゃん、彭おばあちゃん」と中国語で語りかけた。これで習夫妻は心をわしづかみにされたはずだ。

そして中国語の曲を歌い、同国の古典的な詩を暗唱してみせた。中国で育った私の妻も「発音のレベルが高い」と映像に見入っていた。この映像は中国のネットでも瞬く間に拡散され、「中国に住んでほしい」といった好意的な書き込みであふれた。

一方、トランプに同行した29社のアメリカの企業家たちが、中国側企業家代表たちとの投資協定に署名した。その額は当時の日本円にして28兆円にものぼった。民間外交官、アラベラの語学力が、習近平とトランプを打ち解けさせたと言ってもいいだろう。アラベラの最近の様子は不明だが、せっかく上達したのだし、中国語を今も勉強しているのではないだろうか。

トランプと対立した前任者、バラク・オバマ大統領の次女、サーシャも学校で中国語を学んでいた。アメリカを訪問した中国の胡錦濤国家主席（当時）と中国語で会話し「中国の最高指導者と会話の練習をした」と、驚きをもって報道されたことがある。

アメリカは長く、中国に「関与」する政策を続けていた。交流、投資などを通じて中国の発展を助け、民主化に導いていくという政策だ。この時まで、米中関係は順調に進展していた。

中国人は英語も熱心に学ぶが、自分たちの中国語にも強いプライドを持っている。アメリカの企業家や政治家は、そこをよく知っている。自分の子どもや孫に中国語を学ばせることで、将来にわたって友好な関係を結びたいというメッセージを送ったのだ。

『孫子の兵法』を研究する民間組織は100近く

中国語だけではない。アメリカでは中国の思想も、関心を集めている。その代表が中国の古典、『孫子の兵法』だ。中国春秋時代（紀元前500年頃）に、思想家、孫武によって書かれたとされる。戦略論としての評価は高く、クラウゼヴィッツの『戦争論』と並び、2大戦争書と称される。日本でも人気があり、無数の解説本が出ている。

軍隊の配置、戦術の実施などに関する兵法と、謀略の極意を記している。中国の歴代武将だけでなく、日本でも鎌倉時代、戦国時代の武将の必読書だった。

ナポレオンも『孫子の兵法』を学んだとされ、現在でもアメリカ軍で軍事における教科書として広く参照されている。マイクロソフトの創業者ビル・ゲイツも愛読書のひとつに挙げている。

中国への関心が高まるにつれ、アメリカでこの名著に脚光が当たっていると中国新聞網（2013年12月4日）が伝えている。

記事によれば、アメリカには軍や専門の研究機関に加え、『孫子の戦争の技術』（『孫子の兵法』の英訳名の日本語訳）を研究している100近くの民間組織があるという。１９８０年代以降、経営の世界にも応用され、アメリカのＭＢＡ（経営学修士）の必読資料になっている。もちろん基本的には英訳を通してだが、理解を深めるため中国語の原著を読む人も少なくない。

アメリカでの孫子の人気をうかがわせる映画がある。けっこう古いが、アメリカの証券界を舞台にしたハリウッド映画『ウォール街』（１９８７年公開）だ。

個性派俳優マイケル・ダグラスが演じるウォール街の大物投資家ゴードン・ゲッコーは、『孫子の兵法』のフレーズを映画の中でたびたび引用していた。投資やビジネスの場で、中国の教えが生かされている。

アメリカがアジアで苦戦したのは「孫子に無知だったから」

アメリカの元国務長官で、国際政治学者として知られるヘンリー・キッシンジャーの回想録『中国』（岩波書店）には、「中国のリアルポリティクスと孫子の兵法」という章がある。毛沢東は孫子の弟子の一人であり、アジアでの戦争にアメリカが苦しんだのは孫子の兵法に無知だったから、と書いている。中国を理解するためだけでなく、孫子の理論は今なおアメリカの軍事戦略にも大きな影響を与えている。

アメリカ軍は『孫子の兵法』を本格的に研究している。アメリカには上級士官にリーダーシップなどを教える、陸軍戦略大学校という伝統を誇る学校がある。この学校のテキストが日本で出版されている。

『米陸軍戦略大学校テキスト　孫子とクラウゼヴィッツ』（日本経済新聞出版社）で、著名な戦略研究家マイケル・I・ハンデルが書いたものだ。戦争論を代表する孫子とクラウゼヴィッツという2人の言葉を比較しつつ読み解いている。ベトナム戦争におけるアメリカの失敗を検証するために書かれたものだという。

ちなみにこの本は『孫子の兵法』について、「心理戦」の効用を重視していると高く評価している。クラウゼヴィッツがあまり言及していない部分だ。「これら（心理戦のこと　筆者註）が敵の交戦意思を挫く作用をもち、結果的に最低限の犠牲、コスト、もしくはそれらを全くかけずに、勝利を導くことも可能」（同書）。つまり「相手を心理的にかき乱し、戦わずして勝つ」ということだ。

現代の戦争では、最先端の武器も使われるが、情報戦も重要だ。フェイクニュースも絡めて相手を混乱させる「ハイブリッド戦争」は、世界の戦争の主流となっている。心理戦の効用を重視していた孫子には先見の明があったと言えよう。

アメリカ陸軍の幹部たちが孫子を熱心に読むのは、単なる戦争理論を学ぶためではない。軍事的に強大化する中国の次の出方について、少しでもヒントを得ようとしているのだ。

イギリス、タイ、スペイン　世界の王室にも中国語ブーム

世界のセレブで中国語を学んでいる人たちを見ると、政治家や王室関係者が少なくない。彼ら彼女らは、国の外交を担っている。今後中国との関係が重要になってくることを、肌で感じているからだろう。

中国のメディアは、この現象を熱心に報道した。王室で見ればスペイン、ベルギー、イギリスなどで中国語を学んだり、カタコトであっても中国語を話したことが伝えられている。中でもタイのシリントーン王女は中国語を好む外国の王女として、繰り返し報じられている。

王室と言えば何と言ってもイギリスだろう。エリザベス女王が死去し、将来を危ぶむ意見もあるが、イギリス王室の動向は世界の関心の的だ。

１９９７年に事故死したダイアナ元妃の長男ウィリアム王子は、キャサリン妃と結婚し、３人の子どもをもうけた。最年長のジョージ王子は、ロンドンにあるトーマス・バタシー校に入学した。夫妻が選んだ私立の名門貴族小学校だ。

この学校では英語、数学、バレエなどのほかに、幼い頃から中国語の学習が組み込まれている。ジョージ王子は、ここで中国語を学んだと報道されている。父親のウィリアム王子自身も、中国語で新年を祝うあいさつをしたことがあるという。

イギリスと中国の外交関係は、伝統的に良好だったが、キャメロン政権（２０１０～２０１６年）時代にはピークとなった。

首相のデイビッド・キャメロンは、成長著しい中国との関係強化を国益増進につなげようと試み、明らかに中国寄りの政策をとった。この対中戦略は財務相のジョージ・オズボーンを中心として進められたため「オズボーン・ドクトリン」とも呼ばれていた。新聞には「（英中関係の）黄金時代」や「（イギリスは中国にとって）西側で最良のパートナー」といった活字が並んだ。

イギリスの首相は「未来の言葉、北京語に集中を」と呼びかけた

イギリスは中国語の将来性に注目していた。2013年に首相のキャメロンは、中国を訪問し、中国の南部、成都の小学校を訪れて、こんな発言をしている。

「今日生まれた子どもたちが学校を卒業する頃には、中国は世界最大の経済国になるでしょう。そのため、フランス語とドイツ語への伝統的な集中を超えて、より多くの子どもたちにマンダリンを学ばせる時が来ました」

さらにこうも言っている。「今日の若者たちには、モリエール（フランスの劇作家）とヴォルテール（フランスの思想家）の言葉を捨てて、未来の言葉である北京語に集中するように促しました」

中国に期待するとはいえ、ここまで中国に肩入れしているのは驚く限りだ。このニュースを伝える英紙ガーディアンは、「キャメロンは学生時代、フランス語が下手なことで有名だった」と皮肉めかして伝えているが、学生時代の苦い記憶が、フランス語はもう要ら

ないという発言につながった可能性もある。

　キャメロンに同行して中国を訪問していたブリティッシュ・カウンシルの最高執行責任者（当時）であるマーティン・デイビッドソンは、「最近の調査によると、マンダリンはイギリスでは広く話されていない10の言語のひとつだが、将来の成長と繁栄に不可欠で、両国の協力は特に重要だ」と、キャメロンを援護射撃している。

　ブリティッシュ・カウンシルは、イギリスの公的な国際文化交流機関だ。日本をはじめ世界に拠点があり、イギリス政府からも資金助成を受けている。本来英語を世界に広める仕事をしているのに、中国語の普及に積極的だったのはなぜなのか。

　それはブリティッシュ・カウンシルが「イギリス人が英語しか話さないことで、イギリスは不利益を被っている」として、欧州連合（ＥＵ）離脱に備え、外国語の学習を奨励していたからだ。その「外国語の勧め」は２０１７年11月、「Languages for the future」と題したレポートにまとめられ、公表されている。

英語だけでは世界に取り残されるという衝撃のレポート

このレポートはまず、600社以上の雇用者の意見を集めた詳細な調査を紹介するところから始まっている。その結果を分析したところ、英語話者だけを相手にビジネスを行っていると、国際的なビジネスセンスが欠如し、異文化理解ができないなど悪影響が出る。

その結果「イギリスの国内総生産（ＧＤＰ）に対し、約３・５％の損失を与えていることが明らかになった」（同レポート）という。

そして「あらゆるレベルの国際関係を成功させるためには、言語能力が今後も重要であることに疑いの余地がない」（同レポート）として、外国語の大切さを強調している。

世界の成長市場はアジアを中心とする国々だが、英語が十分通じない国の方が多い。不便だからと相手にしなければ、当然、競争相手に負けてしまう。欧州連合（ＥＵ）を離脱し、自立の道を選んだイギリスは、皮肉にも、脱「英語依存」に迫られているのだ。

ブリティッシュ・カウンシルがイギリスの輸出実績、市場の成長見通しなど経済、地政学、文化、教育面から、イギリスが最も必要とする言語を選んだところ、上位５位はスペ

図2　イギリス人が学ぶべきとされる重要言語

ＥＵ離脱（ブレグジット）に伴い、イギリス人が学ぶべき外国語のリスト。周辺国の言葉を抑え、地理的に離れた中国語が２位に食い込んでいる。

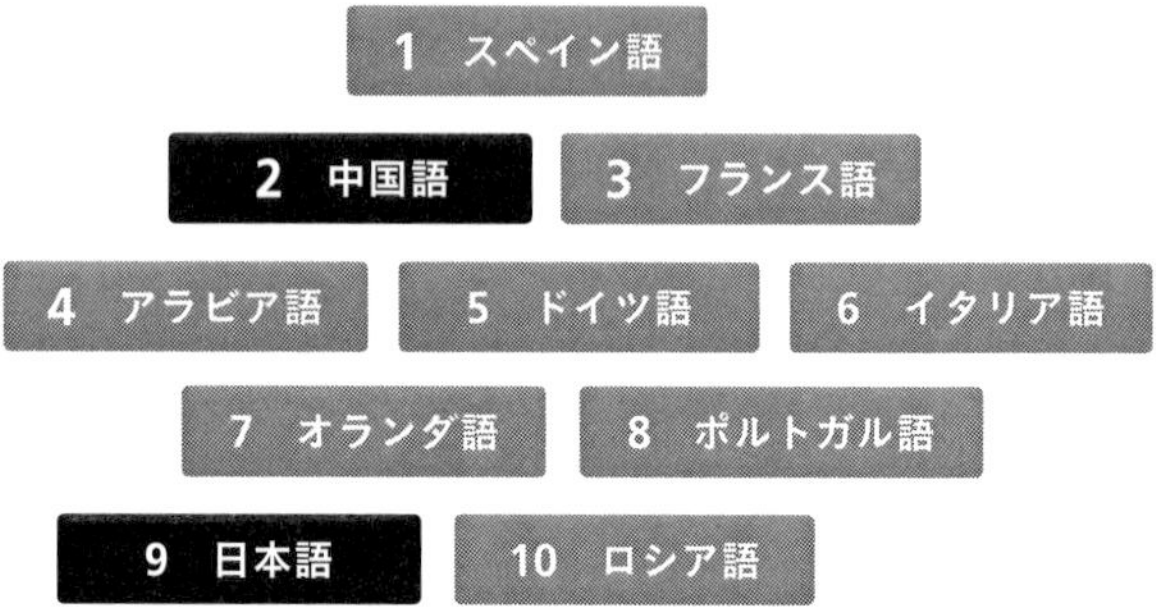

ブリティッシュ・カウンシルのホームページより筆者作成

イン語、中国語、フランス語、アラビア語、ドイツ語となった。ヨーロッパの言語が多いのは分かるが、中国語は堂々の2位になっているのが目を引く。

政治の後押しもあってか中国語の人気はイギリスで年々上昇している。国内にある、中国語と中国文化の教育機関、孔子学院の数も30校と世界一だ。

アイルランド出身のジャーナリストで、聖心女子大学でも教えるデイビッド・マクニールは「イギリス国内には孔子学院への批判も強い」と話す。しかし、「中国はイギリスの主要な市場であり、たとえ問題があっても、学術関係を開いておきたいのでしょう」と分析する。

ただイギリスと中国の蜜月は長続きしなかった。キャメロンは、イギリスの欧州連合（EU）離脱をめぐる国民投票で敗れ、首相辞任、政界引退に追い込まれた。

その後のメイ政権、ジョンソン政権はアメリカに歩調を合わせ、中国とは一定の距離を置くようになり、２０２２年に首相に就任したリシ・スナクは、「自分が首相になれば、孔子学院はすべて閉鎖する」と約束したことがある。今後２つの国の関係はどうなるだろう。香港での民主化運動の弾圧、気候変動問題などをめぐり、イギリスと中国は対立する場面が増えている。

元オーストラリア首相ケビン・ラッドの並外れた中国語は何をもたらしたか

もしトップリーダーが中国語の達人だったら、中国はどう対応するだろうか。その実例となったのがオーストラリアだ。同国のケビン・ラッド元首相は、中国語を本格的に学び、実力はピカイチだった。「陸克文」という自分で付けた中国名も持っている。

10代半ばだった１９７１年の秋、母親から地元の新聞を手渡された。１面には中国が国連に加盟したニュースが大きく載っていた。

興味を抱いたラッドは、オーストラリア国立大学で中国文学や中国語を集中的に学んだ。大学卒業後、オーストラリア外務省に入省。北京大使館に外交官として勤務した。

彼の好きな笑い話に、こういうものがある。

北京大使館時代、中国の高官と自国の大使が面会した。ラッドは通訳として陪席していた。大使は「オーストラリアと中国は、過去にないほど親密な関係を結んでいる」と、文字通り外交辞令の発言をした。

普通なら中国語で「澳中関係目前是空前的親密」となる。澳《おう》はオーストラリアを指す漢字だ。ラッドは、ちょっとしたいたずらを考えた。「少し表現を変えてやろう、やや古風な表現を使えばいいのではないか」

そこで選んだのが「澳中関係最近処于高潮関係」という言い回しだった。それを聞いた中国の高官たちは一瞬黙り込んだあと、一斉に腹を抱えて笑い出した。

これは中国語では「オーストラリアと中国は、最近エクスタシー関係にある」。つまり性的な関係をにおわす表現になっていたからだ。

当たり前の表現に満足せず、新たな表現を探し、口に出す意欲こそ、ラッドの中国語上達の秘訣《ひけつ》だった。

ラッドに続け、オーストラリアの中国語学習熱

その後外交官生活に限界を感じたラッドは、政界に転進した。２００６年には労働党の党首に就任した。政権交代で２００７～２０１０年に首相を務め、２０１３年にも再び首相に就任。

中国語が話せる首脳ということで、中国側も、幹部中の幹部である中央政治局常務委員クラスが会談に応じるようになった。当時の国家主席・胡錦濤とは親しい関係になった。中国は、自国にプラスになる外国の政治家を、徹底的に大切にする。

ラッドの首相時代にオーストラリアと中国の貿易が急増している。オーストラリアも中国に寛容だった。ラッドをめぐる有名なエピソードがある。

２００８年に首相として初めて外遊した際、日本に立ち寄らず、アメリカ、ヨーロッパに続いて中国を訪問した。「ジャパン・パッシング」と話題になった。訪中期間中には北

京大学で、大学生を前に中国語でスピーチし喝采を浴びた。

語学を重視するラッドは、オーストラリアの高校のアジア言語プログラムに６２００万豪ドル（約40億円）を投じた。２０２０年までに中国語、日本語、インドネシア語、朝鮮・韓国語のいずれかを流暢《りゅうちょう》に操ることができる高校課程修了者の割合を、12％にまで引き上げることを目指した。

その影響で名門のオーストラリア国立大学では、アジア言語の習得がブームとなった。同大のアジア研究部門の責任者で教授のケント・アンダーソンはＡＦＰの取材に答えて「首相が中国語を話す影響で、中国語を学びたいという学生が急増している」と語った。

また中国から移民し、旅行会社を経営する50代の男性は「オーストラリアに住む中国人は、みんなラッドのファンになった。今は好きではない。彼は中国を政治的に利用しただけだ」と筆者に語った。

「まずは中国への深い理解と研究が必要だ」と理解示したが

ラッドに対して、「欧州志向だったオーストラリア人の目をアジアに向かせた」と評価する人もいる一方で、中国語という特技を使って中国に接近したことを不快に思う人たちもいた。国内の政敵と評論家は、ラッドを「人民共和国（中国のこと）の大使」「中国を取ったら何も残らない政治家」などと厳しく攻撃した。

ラッドは確かに中国を重視し、さまざまな配慮をした。2008年に日米豪印戦略対話から脱退を表明したのがその表れだ。一方、国家主席の胡との会談の席では、中国がいやがるチベット問題を取り上げるなど、人権問題について再三言及し、対立する場面もあった。

2013年に政界を引退したラッドは、ハーバード・ケネディスクールのシニアフェローを経て、「アジア・ソサエティ」（本部・ニューヨーク）の代表として研究生活に入った。アメリカとアジア地域の人々の間の相互理解を目的として創設された、民間の非営利団体だ。研究対象はもっぱら米中対立だ。

2014年にラッドは、カリフォルニア州ロサンゼルスで開催された全国中国語会議で、1200人の教育者の聴衆の前で話している。この映像は「アジア・ソサエティ」のサイトで見られる。

この講演でアメリカと中国の摩擦について触れているが、まだ楽観的な調子だった。

「西側と中国の間には根本的に相反する価値観がある。平等、自由、国境を超えた人々との連帯、持続可能性などだ。ただ哲学的および歴史的伝統の多くは、ある程度の類似性を持っており、それらを異なるものとして決めつける前に、深い理解と研究が必要だ」

違いはあるが理解し合えると言いたかったのだろう。

その上で、「中国語は学ぶのが難しい。ただ、中国語の文法は簡単で分かりやすく、（英語などの）ゲルマン語よりもはるかに単純だ。他人の言語を学ぶことは尊敬の印であり、理解への入り口だ。人生の後半から始めても、それは実行可能だ」と語っている。

お互いに言葉を学べば、理解し合えるということだろう。私も同じ意見だが、現実はだんだん難しくなっていった。

中国は変質した、台湾有事は避けられないとラッド

政治、経済面で緊密な関係だったオーストラリアと中国が対立するようになったのは、２０１４年に南シナ海の島々の軍事拠点化が明らかになってきた頃だ。

２０１６年には、常設の仲裁裁判所が南シナ海で中国の主張する領海線を無効とした判決を出し、オーストラリアは中国に同判決を尊重するよう求めた。

中国側は、これに不満を表明し、徐々に貿易規制をかけ始めた。ワインや大麦などに大幅な関税をかけ、オーストラリア側も報復し、貿易戦争が激化している。

関係のいい相手であっても、自国の国益にそわないと思えば、容赦なく軍事や経済で締め上げてくる中国に対し、オーストラリアは対抗するようになった。日本、アメリカ、インドとＱＵＡＤ（クアッド）と呼ばれる枠組みを作って中国牽制《けんせい》に乗り出している、現在は、中国への警戒心をむき出しにする国のひとつだ。

最近のラッドは、中国に対して批判的な発言が増えている。中国が変質してしまっており、自分としても支持できなくなったと、ストレートに語っている。

２０２２年には、ロシアによるウクライナ侵攻が起きた。この問題が中国と台湾の関係に与える影響について、ラッドはたびたび質問されるようになった。中国政府は一貫して、「中国はひとつであり、台湾は中国の領土の不可分の一部だ。中国は国家の完全統一を推進する」とアピールしている。

ラッドは「中国は台湾を諦めたりはしない」と冷めた目で見ている。

ウクライナ侵攻で国際社会がロシアに厳しい制裁を科した。このため「中国は、制裁を加えられても自国の経済に影響が出ないよう、自立性を高める努力をする」（ラッド）と、むしろ、国際社会から孤立する道を選ぶと予測する。

何よりも「習近平は毛沢東が果たせなかった夢を実現することに取り憑《つ》かれている」ため、「ウクライナの事態が習近平の最終的なスケジュールを損なうとは思わない。（台湾の武力統一の時期について）２０２０年代後半、もしくは２０３０年代初頭である可能性が高い」。これがラッドの分析だ。

専門家の多くは、台湾有事といった決定的な事態が起きず、今のままの状態で進んでも、10年後には米中の技術力が逆転し、摩擦はさらに高まると予想している。

ラッドは、『避けられる戦争　アメリカと習近平の中国の壊滅的な対立の危機』という本を出版したばかりだ。この本の中で、「両国が共存の道を模索するなら、世界はもっとよくなるかもしれないが、失敗すれば戦争への道に進むだろう」と書いている。

当代随一の中国通の分析は、悲観の度を増している。

第2章
アメリカ人より多い中国人が英語を学ぶ

オンラインの英語授業はゲームから始まる

授業の時間になると、ヘッドホンを付けた先生がパソコンの画面に現れた。カナダ在住の女性の先生だ。「ハイ」と明るい声で呼びかけてきたあと、生徒と短い歌を歌った。日本は午後８時、カナダは早朝のはずだが、先生は元気いっぱいだ。自宅にいる先生の後ろの壁には、世界地図が貼ってある。時々、遠くで犬の鳴き声が聞こえるが、起きたばかりの飼い犬に違いない。

先生は生徒と歌を歌うほか、簡単なゲームをすることもある。ジャンケンのような簡単なものから、画面上に壺のようなものが３つ出てきて、それがぐるぐると位置を変えるものもある。宝物が入っている壺を当てるゲームだ。英語がよく分からない初心者の子どもでも、緊張しないで授業を始めるための工夫だ。

そのあとは、絵を見ながら単語を覚えていく。色、形、天気、動物の名前など簡単なものから、動詞や形容詞、簡単な会話などに順次広げられる。

２０２１年のある日、わが家の様子だ。画面のこちらにいるのは私の小学生の息子だ。

25分の授業の様子は、親が別画面でモニター見学できる。この日は、私も見ていた。自動的に録画もされており、あとで見直しも可能だ。宿題として簡単な作文も課される。専用のウェブサイトの中には、簡単な内容の絵本が豊富に用意されているほか、生徒同士がヒアリングや単語力を競うゲームもある。先生は白人が多いが、黒人の先生もいる。どの先生もよく笑う。乗りがいい。

これが中国で生まれたオンライン英会話教室、ＶＩＰＫｉｄ（ブイ・アイ・ピー・キッド）の授業の様子だ。話す、読む、書く、聞くがバランスよく組み合わされており、子どもの注意力を引きつける仕掛けが、隅々まで施されている。

北米のネイティブに学んで1回約３０００円は高いか安いか

オンライン英会話教室は、人件費が安く英語力のあるフィリピン人の教師を雇うケースが多いが、ＶＩＰＫｉｄは全く違う。

英語教師の資格を持ち、実務経験も豊かな北米在住の先生と、中国に住む子どもをオンラインで結び、マンツーマン授業を行う。レッスン代には、クレジットカードなどは使わない。中国のオンライン決済システムで一括先払いする。このため事実上中国人しか会員になれないが、中国だけでも市場は十分広大だ。

２０２２年現在、受講料は60回分で９２００元、18万円程度になる。１回あたり約３０００円ほどだ。

英語教師と生徒の間にはコーディネーターと呼ばれる中国人がいる。ＶＩＰＫｉｄの社員だ。授業の内容をモニターし、受講生の問題点を把握して、勉強法をアドバイスする。そして何よりも、「英語の発音がいい。このまま続けましょう」「来月から授業料は値上げの予定です。その前に授業を買ってください」と言葉巧みに、新たな授業時間を購入するよう勧めてくる。もし購入してくれれば、１割が手数料として彼らの収入となる仕組みだ。多い人では、手数料だけで月30万円稼ぐ人もいたという。

ちなみに、日本の子ども向けオンライン英会話教室の値段を見てみると、１対１で月８回５０００〜６０００円。１回あたり30分、受講料１０００円弱が人気だ。子ども向けで、しかも25分３０００円というのは高い気もするが、この程度のお金なら迷わず使う層が、中国には数え切れないほどいる。だからＶＩＰＫｉｄは、驚異的な急成長を遂げてきたのだ。

ＶＩＰＫｉｄの本社は中国にあるが、アメリカでも注目されているユニコーン企業（創業10年以内で、10億ドル以上の評価額が付けられている非上場のベンチャー企業）だ。

アメリカの人口を超える4億人の中国人が英語を学んでいる

中国の英語教育は、文化大革命（１９６６～１９７６年）直後から始まり、40年以上の長い歴史がある。この章では、中国と英語の関わりをたどってみる。

大きな節目は１９７８年のことだ。この年、中国では国立大学の入学試験科目のひとつに英語が選ばれた。この措置によって、英語能力を測る各種試験が始まった。もちろん、試験対策のための学習塾も増えた。

北京オリンピック（２００８年）開催が決まった２００１年頃から、中国政府は、英語教育に本腰を入れ始めた。この年、英語教育は小学３年生から義務化となった。

現在多くの中国人は幼稚園から何らかの形で英語を学び始める。中国国内で英語を学ぶ人口は４億人とも言われており、アメリカの人口（約3億３０００万人）を上回っている。

多くの英語教育産業は、子どもたちをターゲットにしている。早期の外国語教育については、中国でも賛否両論がある。大人は短期間で英語を習得するのは難しい。しかし子どもの場合、早期に学べば発音などの面で大きな進歩が望めるのは間違いない。中国人の親は、経験豊富な中国人教師よりも、ネイティブスピーカーの教師を好み、授業料が２倍でも喜んで支払う。

海外教育を希望する中国人学生向けの国際バカロレア（ＩＢ）を提供する中国の公立学校の国際プログラムも増加している。国際バカロレアについては、第４章で詳しく説明するが、このコースを履修すれば、海外の大学への進学が容易になる。

中国からアメリカの高等教育機関への留学者数は過去10年平均で年率18％増加している。アメリカの調査機関、ピューリサーチセンターによれば、新型コロナウイルスの流行が始まった２０２０年には大幅に落ち込んだが、それでも中国人は留学生全体の約３割を占めた。２位のインドと合計すれば全体の半数近くとなる。日本からの留学生は減り続けており、年間２万人弱で11位にとどまっている。

米中関係は悪化しており、トランプ政権時代には、軍と関係があるとされる大学院レベル以上の中国人留学生と研究者の入国が制限され、ビザが停止された。それでも中国人留学生は、アメリカの大学にとって財政の面から貴重な存在だ。中国人は、寮費を含め年間約７万ドルもかかるアメリカの名門大学の学費を、惜しみなく出してくれるからだ。

中国からアメリカへの留学は年々低年齢化が進み、大学だけでなく、アメリカの小中高校に入学する中国人の生徒も増えている。

大都市部では小１から英語授業を始めている

中国では、基本的に小学３年生から英語の授業が行われる。日本（小５から科目として開始）よりも早い。

小学３、４年の場合、20分の授業を週４回、５、６年生は20～30分の英語の授業が週４回、そして中学生以上は６年間に45分授業を週４回受けるなど、ほぼ毎日英語を勉強している。

日本の文部科学省にあたる中国教育省が策定した「義務教育英語課程標準」により、英語力を９つの段階に分けて、義務教育と高校を通じて教育することを目指している。

図3　米国の大学の留学生　国別割合（2020～2021年）

アメリカの大学への国別留学者を見ると中国が1位を占め、2位のインドを大きく引き離す。上位常連だった日本は、落ち込みが目立つ。

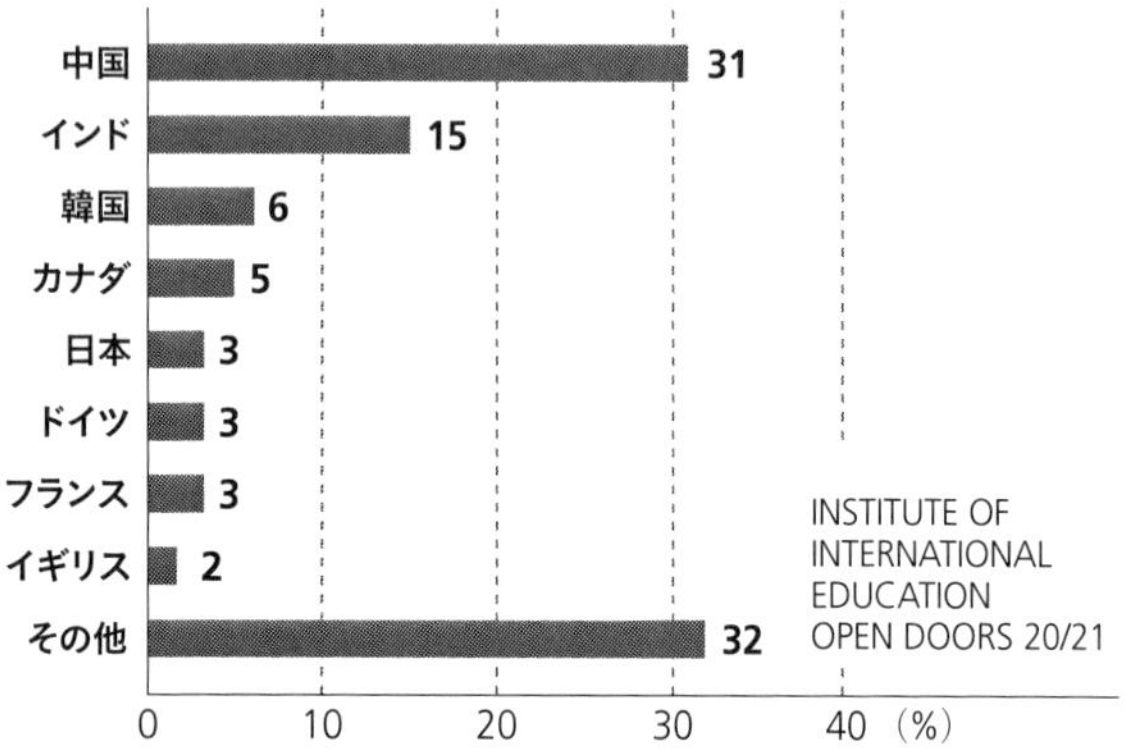

国が定めた基準内なら、各省・自治区・直轄市ごと、実状に合わせた運用も認められている。都市部の北京市や上海市では、小学１年生から英語の授業が実施されている。

　中国での英語の授業は、英語だけで行われ、中国語はほとんど使わない。教科書に加え家族の写真やパソコンも使いながら、生徒同士が対話する形式を多く取り入れている。

　英語力測定テスト「ＥＦ　ＳＥＴ」を実施している世界最大級の語学学校のＥＦ・エデュケーション・ファーストが112か国、約200万人を対象にまとめた２０２１年版「ＥＦ　ＥＰＩ英語能力指数」によると、中国の英語習熟度は受験生の多さも影響して49位と低い。

アジアのトップは、かつてイギリスの統治下にあり、英語が広く話されている香港の32位、英語学習熱の高い韓国は37位という結果だ。日本は残念ながら78位と、中国よりもはるかに低いレベルにとどまっている。

日中の差は「懸命さ」の差だろう。中国では英語の実力があれば、人生での一発逆転を可能にする。たとえ農村の貧しい家の生まれでも、「名門大学に入り、外資系企業で働く」、もしくは「欧米で仕事をし、最終的には移住したい」と切望している。そんな強い思いが、英語学習者の背中を押している。

中国の歴代の指導者の中では故江沢民《こうたくみん》の英語力に定評があった。英語でリンカーンの大統領スピーチをそらんじるのが特技だった。英語のニュース雑誌を読んでいたという。ロシア語を話せ、日本語も理解できると自ら語っている。

中国首相の李克強も、英語でのコミュニケーション能力が卓越していると評価されている。

中国は世界一のＴＯＥＦＬ受験国になった

国際標準の英語実力テストとして幅広く採用されているＴＯＥＦＬ（中国名・托福）は、英語圏の大学に進学を考えている学生には必須の英語力テストだ。世界最大の非営利教育団体である教育試験サービス（ＥＴＳ）が開発したテストで、これまでに世界中で３５０万人以上が受験している。

インターネットに接続したパソコンを経由して受ける「ＴＯＥＦＬ ｉＢＴテスト」が中心だ。主に大学・大学院などのアカデミックな場面で必要とされる英語運用能力を測定する。

さらにＧＲＥもある。これもＥＴＳが実施するもので、アメリカやカナダの大学院へ進学するのに必要な共通試験の名前だ。

ＴＯＥＦＬとＧＲＥの２つのテストは、１９８１年に初めて中国で実施された。その時の受験生はわずか732人だったという。それから約30年後の２００９年、受験生は10万人を超え、試験を受ける人の数は世界１位となった。

英語熱も年々高まり、これらの試験に備える専門の塾も登場した。最大手「新東方教育グループ」は、幼稚園・児童クラスから全科目の大学受験、成人向けの試験・留学準備クラスまで幅広い層を対象とし、全国主要都市でビジネスを展開し、急成長を果たした。

英語ネイティブスピーカー教師、一時40万人に

多くの子どもたちがおり、有望な英語市場である中国。当然、欧米の英語教師も仕事を求めて中国に渡っていった。その数は２０１７年に40万人に膨れ上がったという（ロイター通信、２０１９年８月13日）。日本で最も人口が少ない県は鳥取県の約54万人だから、40万人がどれだけの数か分かるだろう。

数年前、私が自宅の近くの教室で教わっていたアメリカ出身の英語教師も「中国の方が給料は安いが仕事が多く、将来性がある」と言って、東京からあっさりと北京に転居した。ただ、中国に押し寄せた人の中で、正式な教師資格を持っている人は少数で、多くは「英語を母国語とする」というだけの無資格教師だった。それでも、爆発的需要には、十分応えられていなかった。

英語教師の中には、キリスト教の普及を目的にして、中国の田舎に派遣された人もいる。日本の田舎でも、欧米系の若い青年が２人ひと組になって、見知らぬ人に話しかけている場面を見かけることがある。

ここ数年、中国はアメリカをはじめとする欧米との関係が悪化している。各国は、中国人留学生や研究者、中国政府が支援する「孔子学院」への監視を強めている。これに対抗するように、中国政府は英語教師への締め付けを強めている。

中国教育省は２０２０年７月、「外国人教師の任命と管理のための措置」を発表した。「外国人教師は中国の法律と規制を遵守し、中国の公序良俗と教師の職業倫理、そして教育を遵守する」ことを求める内容になっている。

特に目に付くのが「宗教との分離の原則」の部分だ。英語を教える一方で、キリスト教の布教を行うことを事実上、禁止している。また外国人教師が中国の憲法、教師の職業倫理などを学ぶ20時間の授業を受けることも義務付けた。

地方自治体が外国人教師への監視を強化

アメリカ政府が運営するラジオ放送局、ボイス・オブ・アメリカ（ＶＯＡ）は２０２０年7月31日、中国で６年間働いていたオーストラリア人教師の証言を伝えた。地方自治体が外国人教師の監視を開始し、香港の政治情勢の話題について、授業で話し合わないように求めてきたという。

中国に滞在する多くの外国人教師は、授業の時間にデリケートなトピックについて話し合うことを避けるよう求められている、とも証言している。

中国政府が嫌う「敏感な話題」と言えば、だいたい想像がつく。１９８９年の天安門事件、香港・台湾の状況、新疆《しんきょう》ウイグル自治区でのウイグル人政策などだ。

そもそも外国人教師が中国で雇われることは、かなり危険だとの指摘もある。外国人教師の収入は少ない。労働契約をめぐるトラブルに巻き込まれても、訴訟を起こす金銭的余裕がなく、弁護士も雇えないことが多い。一部の外国人教師は、仕事を紹介してもらうため、法外な仲介手数料を取られている。

外国人教師に関わる問題に詳しいある弁護士は、ＶＯＡのインタビューに対して「中国に行くべきではない」と語っている。むしろベトナム、タイ、チェコなどに行く方がいいと勧めている。

米中関係が急激に悪化していることも反映し、中国での英語熱はかつてより冷めており、英語教師の需要も落ち込んでいる。

コロナ禍で急成長した中国のオンライン教育

中国の英語教育を語る時、オンライン教育を抜きにはできない。そもそも国土が広大な上、さまざまな地域を抱える中国で、均等な教育を実現するにはオンライン教育が欠かせない。

そのため中国では、早くからオンライン教育が発達していた。当初は、高等教育（大学生・大学院生）向けや職業訓練が中心だった。実社会で役立ち、収入アップに効果があるためだ。

しかし、新型コロナウイルスの感染拡大によって、オンライン教育の需要は爆発的に増えた。

授業のオンライン移行に向け、中国教育省の動きは素早かった。春節休暇中の２０２０年１月27日、全国の教育機関を対象に始業延期を通達した。これで何と全国の１億９３８３万人が自宅で授業を受けることになった。同じ月の29日には、「停課不停学（授業は止めるが、学習は止めない）」との方針を打ち出した。

中国内で成長した複数のエドテック（ＥｄＴｅｃｈ）企業から、生徒を応援するためオンラインの動画プラットフォームや教育コンテンツの無償提供が相次いだ。

ＥｄＴｅｃｈとはEducation Technologyの略語だ。教育現場にテクノロジーを取り入れ、さまざまなイノベーションを起こす動きやサービスのこと、また科学技術で教育の普及を図る企業を意味する。

さらに教育省は、ほかの部署からの強力な支援も受け、２月17日に小学生から中学生を対象にした全国クラウドネットワークプラットフォーム「国家中小学網絡雲平台」を正式にスタートさせた。

愛国教育から体育、美術まで全ての科目が揃っている。パソコンやスマホなどさまざまなデバイスでアクセスが可能で、アプリを通じて簡単に宿題の提出もできる。

それだけではない。都市部の教育先進校の授業をインターネット経由で公開した。「名師課堂」と呼ばれるコンテンツで、地方の生徒も質の高い授業が受けられることになった。教育格差を埋める試みだった。

国が後押ししたおかげで、オンライン教育利用者は２０２０年３月時点で４・３億人にまで膨らんでいるという。中国政府は、その結果に手応えを感じており、通常教育とオンライン教育を統合した新しい教育モデルを探っている。

ＶＩＰＫｉｄ創業者は学校をドロップアウトした女性だった

中国でインターネットが導入されたのは比較的遅く、１９９０年代のことだ。教育分野へのインターネットの普及は他国に比べてさらに遅れていた。

しかしベンチャー企業がオンライン教育業界に注目し、２０１３年頃から相次いで投資を始め、本格的な普及が始まった。２０１８年には、中国で5社のユニコーン企業が出現した。中国の教育界では「K－12」という単語がよく登場する。幼稚園（kindergarten）から高校生までの教育期間を意味する。5社のターゲットは、まさにこの年齢層だ。

図4　中国の小中学生向け市場の伸び

中国では、小中学生向けの教育市場の拡大が続いていたが、中国政府が通達した厳しい規制のあおりを受けて、冬の時代を迎えるのは確実だ。

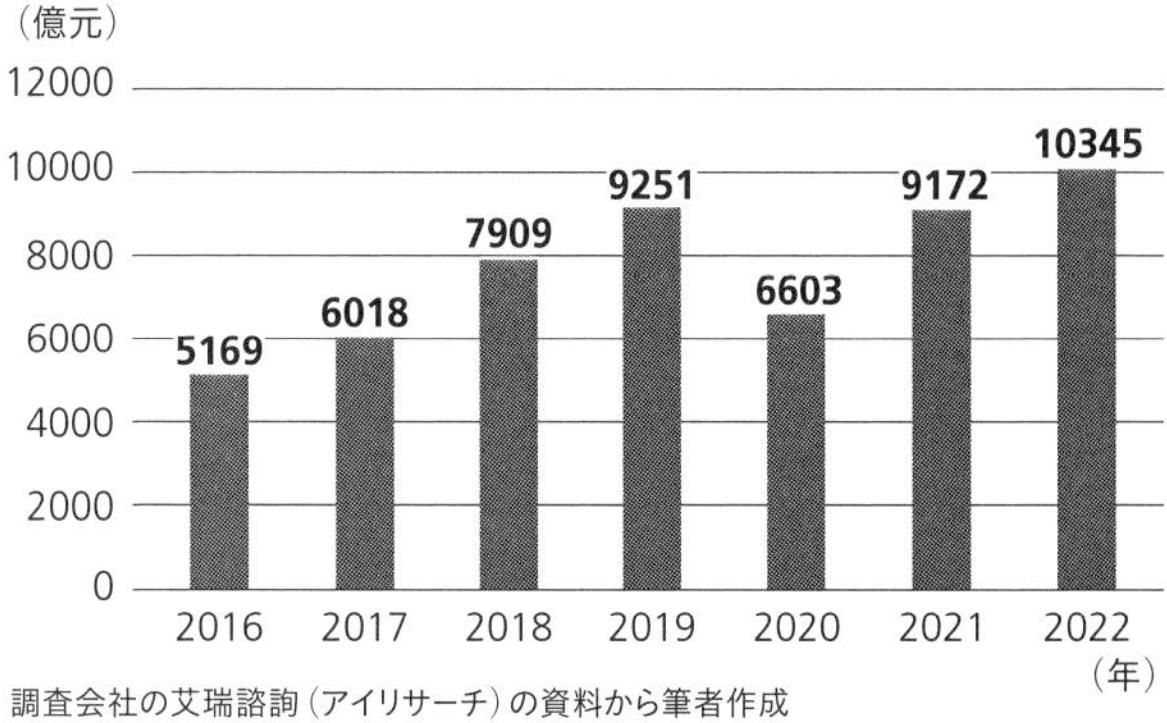

調査会社の艾瑞諮詢（アイリサーチ）の資料から筆者作成

有名な会社には次のようなものがある。北京に本社を置く「一起作業（17zuoye）」と、「猿輔導（Yuanfudao）」「作業帮（Zybang）」は、子どもや親、教師に向けて、宿題の解き方や授業の準備などを支援している。日本に進出しても成功しそうなビジネスモデルだ。

　一起作業は２０１１年に設立された。中国語で「一緒に宿題をする」という意味でＫ－12の生徒、教師、保護者向けのオンライン学習プラットフォームだ。ビッグデータや人工知能（ＡＩ）も駆使し、生徒の学力に合わせた質の高いコンテンツを提供している。例えば、利用者が英文をスマホなどに向けて読み上げると、発音が即座に採点される。

猿輔導は当初はクイズを無料で提供するサイトだった。ユーザーを確保したあと、子ども向けの算数、英語などの有料授業を展開した。質の高い講師と200人以上の技術チームが、最新の教材を提供する。

作業帮は中国の検索エンジン大手、百度（バイドゥ）からスピンアウトした。ユーザーが問題を写真で撮って送ると正解と解説が送られる。

ｉＴｕｔｏｒとＶＩＰＫｉｄは北米の講師を使ったオンラインサービス会社だ。

２０１８年にはオンライン教育が正式に政府の監督下に置かれ、法整備が進んだ。これ以降オンライン教育市場は毎年20％以上の急成長を続けている。中国には教育熱心かつ教育出費を惜しまない親が多いため、エドテック市場には多くの新興企業が参入し、しのぎを削っている。

５つある教育ユニコーン企業の代表格は、何と言ってもＶＩＰＫｉｄだ。その評判を聞いて、私も息子にこの授業を受けさせていた。この企業を興したのは米雯娟《シンディー・ミー》という中国人女性だ。

ミーは２０２１年７月、中国のシンクタンクなどが北京で開いた「国際対話フォーラム」

で英語を使って講演している。「共有文化、共有未来」というタイトルだった。さらに、ＶＩＰＫｉｄについては『世界の教室　ＶＩＰＫｉｄはオンライン教育をどう変えたか』（リリー・ジョーンズ著、スカイホース社）という英文の本も出版されている。講演と、この本の内容をもとに、彼女が何に挑戦したのか振り返ってみよう。

ミーは中国東北部の都市、ハルピンで育った。17歳の高校生だった２０００年のこと。彼女のクラスには60人の生徒がいたが、生徒が多すぎて、担当教師はミーの名前も知らないようだった。

ある日、ミーは数学の授業中にＳＦ小説が載った雑誌を読んでいて、先生に見つかった。先生はその本を破り捨て、彼女を教室から追い出した。

「この瞬間、私は、自分が学校で学ぶタイプの人間ではないと悟った」とミーは振り返っている。学校を退学したあと、自分で英語を学び、自分の叔父と英語学校を始めた。自分も教師の１人となって英語を教えたが、実際の仕事は学校の宣伝パンフレットをあちこちに配るため、自分で車を運転することが中心だった。仕事に慣れてくると彼女は、もっと学ぶ人のニーズにあった学校を作りたいと考え始めた。

アメリカの大学で企業経営を本格的に学ぶ

ミーは英語を教えながら、大学卒業資格を得た。さらに２０１０年には、北京の有名なビジネススクール、長江商学院に入学した。この学校は２００２年11月、香港最大の財閥を率いる李嘉誠の財団から寄付を受けて北京に創立された中国初の非営利のビジネススクールだ。修了生には、著名な中国人企業家が名を連ねている。

それだけでは飽き足らず、ミーはさらにアメリカ・コーネル大学への交換留学を果たし、ＭＢＡ取得後、叔父と共同経営してきた学校を辞め、自分で起業した。

中国には優れた英語教師がたくさんいたが、多くの学生が外国に行き、英語を学んでいた。当時、中国人の保護者は1年間で、日本円に直して総額150億円を子どもの英語教育に使っている、との数字もあった。

正式な資格を持った英語教師は、中国国内に少なくとも2万７０００人いた。ところが、中国には2億３０００万人の小中高生がおり、年間１６００万～１７００万人の子どもが生まれていた。単純に数字を比較しても、とても間に合わない。

需要と供給のアンバランスを埋めるアイデアを、ミーは考え始めた。その方法がなかなか浮かばなかったが、ある日、インターネットの力で教師を探せばいい、と思いつく。アメリカには約500万人の英語教師がいる。ネットを通じて中国の生徒とアメリカの教師をつなぐ。ＶＩＰＫｉｄの原型が誕生した瞬間だった。ミーは友人のジェシー・チェンに相談を持ちかけた。チェンは３歳の息子を持つ母親だった。ＶＩＰＫｉｄのアイデアを聞いて興奮した。

「私は技術畑の人間だが、教育にも情熱があった」とチェン。「子どもの学習を助けるミッションに関係したかった」と振り返っている。

アイデアはよかったが、そこからは時間がかかった。ミーがチェンとともに魅力的な教材やカリキュラムの開発に取りかかり、ようやく事業を開始したのは２０１４年のことだ。

生徒4人からニューヨークの中心に広告を出すまでに

発足した時は４人の生徒と先生１人の小所帯だった。外部からの投資も受けており、資金はあった。まずは優秀な教師探しが日課になった。

大卒かつ、1年間は、子どもを教えた経験があることを最低条件とした。知人のツテを頼って、アメリカやカナダにいる教師に通信ソフトのスカイプで面接を行った。

多くの親は、英語というものは面と向かって教えてもらうものだと考えていたので、オンラインには拒否反応を示した。このため無料の体験授業を受けてもらうと、子どもに評判がよかった。口コミで評判が広がり会員が増えていった。

ようやく生徒が20人になったが、教師の中には「英語が話せない子どもに、どうやって教えるのか」と戸惑う人もいた。

「大丈夫、ボディランゲージで通じるコンテンツを用意している。例えば子犬について教えたければ、犬の鳴き声を真似すれば相手も理解できる」と、ミーは説得したという。

投資を募るのはミーの役割だった。パソコンを担いで一日中投資してくれそうな企業を回る。企業から反応がなかった日には、疲れ切って会社に帰ってから床に倒れ込むこともあった。

しかし努力は徐々に実を結んだ。知名度があがり、有名人がＶＩＰＫｉｄのレッスンビデオをＳＮＳに上げてくれ、会員が増えた。アメリカで早期教育を手がける投資会社も、投資を決めてくれた。ニューヨークの中心、タイムズスクエアにＶＩＰＫｉｄの大きな広告が張り出されたのは、２０１６年のことだった。

ジャック・マー、コービー・ブライアントとからも投資受ける

２０１７年には、中国を代表するテクノロジー企業、アリババ・グループの創業者、馬雲（ジャック・マー）が運営する馬雲公益基金会（ジャック・マー・ファンデーション）との提携が発表された。ＶＩＰＫｉｄは、もともとアリババの通信技術を取り入れ、質の高い画像と音声で教師と生徒をつないでいた。そんな縁があったためだろう。

それ以上に中国人を驚かせたのは、アメリカプロバスケットボール協会（ＮＢＡ）のレイカーズで活躍した名選手、コービー・ブライアントが、ＶＩＰＫｉｄに投資すると発表したことだ。

コービーはベンチャー企業に投資するファンドを作っており、新聞のインタビューで「ＶＩＰＫｉｄへの投資を決めるのにたった5分しかかからなかった。社会に価値を付加し、子どもたちが学び成長するのを助ける企業だからだ」と語っている。

各方面から投資を受けたこともあり、順調に事業は発展し、同業他社との差別化のカギとなるカリキュラム制作チームは何と400人を超えた。評判は海外にも広がり、日本のメディアにも取り上げられるようになった。２０１９年、会社には１万人の教師が登録され、生徒は70万人にもなった。

米経済誌フォーブスの、「ベスト在宅勤務企業２０１８」ランキングでＶＩＰＫｉｄが1位（２０２０年は3位）に輝いた。アメリカの流通大手、アマゾンなどを抑えての栄冠だった。

「共有文化、共有未来」という講演の中でミーは、ＶＩＰＫｉｄの外国人教師の１人、サンディーのことを紹介している。彼女はアメリカ・アリゾナ州出身。５人の子どもの母親で、子どもたちの世話をするため、教師の仕事をやめざるを得なかった。しかし彼女は、いつか教壇に戻りたかった。ＶＩＰＫｉｄの存在を知り、オンラインで英語を教え始め、教師としての満足感を取り戻した。そして一定の収入を得るようになった。彼女は、自分に仕事をくれた中国の子どもたちにも感謝した。

ミーは、ＶＩＰＫｉｄを通じ、「中国と世界の若者たちが共通の文化、共通の未来を持つことを目指す」と語っていた。その理想は実現しつつあった。

中国の「国会」で起きた英語教育への批判

一方で、英語教育が中国で過熱していることに対して批判が起きてきた。英語教育は壮大な無駄だという主張だ。２０１７年の「両会」でのことだ。

両会とは、国政助言機関である中国人民政治協商会議（政協）と全国人民代表大会（全人代、国会に相当）を指す。毎年3月に開かれ、国政についてさまざまな問題が提起される。内外のメディアも中国の将来に影響を与える内政、外交、経済の論議に注目する。

この年の両会では、少し変わった意見が出された。発言したのは中国宇華教育グループ（国内最大の私立教育グループ）の理事長である李光宇という人物だ。教育界では有名な人だ。大学入学試験で英語をやめ、小中学生の英語を必修科目から選択科目に変更せよというなかなか大胆な提言だった。

李は3つ理由を挙げたが、いずれも具体的で、納得する部分が多い。日本人にとっても、子どもに早めに英語を教えている私にとっても、耳の痛い話だ。

選択科目にすべき理由の１つ目は、中国では小学３年生から高校３年生まで、あまりに膨大な時間を英語に費やしていることだ。李によれば英語学習の時間は、小学生が１日あたり１時間、中学生は１・５時間、高校生では２時間になる。10年間の（総学習時間の）５分の１近くが英語に費やされており、小学３年生から高校３年生まで、英語に費やす時間は、トータルで１人あたり少なくとも５２９２・５時間になると試算した。

塾などでの英語の課外指導は、生徒の限られた時間を使ってしまうため、睡眠と休息にも直接影響を及ぼす。

中国人が英語に使う金は有人宇宙船204個分にも！

理由の２つ目は、さらに具体的だ。

李は、「中国の子どもたちは１年間英語を学ぶために204個の宇宙船を打ち上げることができる」と比喩を交えて語った。どういうことだろう。

２０１５年のデータをもとに小学生、中学生、高校生の１人あたりの英語学習費を計算すると、年間１６３７億元を消費していることになる。

一方、中国が国の自慢としている有人宇宙船、「神舟」の打ち上げ費用は８億元、世界最大の水力発電ダム、長江三峡ダムへの総投資額は１８００億元だ。英語を学ぶために、中国人は毎年少なくとも長江ダムの１基分近く、神舟宇宙船204個分を使っている計算になるという。

この数字にどこまで信憑性《しんぴょうせい》があるのか、誰が言い出したのか判然としないが、英語学習の費用をダムと宇宙船の費用と比較した数字は、さまざまな中国のニュースにも出てくるほど、すっかり定着している。

３つ目として李は、多くのお金と時間を投資したにもかかわらず、結果が思わしくないことだと指摘した。中国全体の英語能力レベルは、国際的には中間レベルにとどまっている。「10年以上の英語学習を経ても、多くの学生はまだ英語で上手にコミュニケーションをとることができず、英語の本や文学を読むこともできない」（李）

英語は大学入試の「足がかり」に過ぎず、試験が終わればすぐ忘れてしまう。膨大な時間とカネの無駄になる。英語を学ぶことは「資源の浪費」だとも断言した。

塾チェーンの創業者は、英語軽視は無謀な試みと反論

もちろん反対意見もある。中国人民政治協商会議の委員で、新東方教育グループの創業者である兪敏洪は、李の「英語教育無駄論」を聞いて、ただちに反論した。「英語のテストをやめる提案は、性急すぎ、無謀でさえある」というのが趣旨だ。

兪は、英語を学ぶことはもはや国家の意向によって決定されるべきものではなく、中国がグローバル化する上で避けては通れない道だ、と強調した。教育の現場にいる人だけに、説得力がある。中国で英語をめぐり、こんな白熱した論議が起きているというのは、新鮮な驚きだ。

さらに兪は、こうも言っている。

「英語の試験は、世界がもはや孤立した国々の集まりではないというサインです、英語を学ぶことは子どもたちにとってよいことだ」

英語の試験を中止することには反対だが、大学入試での英語の配点を減らすか、大学入試での英語の難易度を下げることには同意している。

兪は、北京のような都会の生徒と、山西省や四川省の山岳地帯の生徒に同じレベルの問題を課すのは酷であり不公平だと考えている。

「将来、子どもたちに留学を希望する家族がいれば、当然、子どもたちの英語学習量は増えるが、一般の人、特に遠隔地の子どもたちにとって、英語を学ぶことは依然として困難」（兪）だからだ。

こういった「英語警戒論」は、中国政府の中に根強くくすぶっていたが、いよいよそれが表面化し、大がかりな教育改革につながった。２０２１年のことだ。

突然、宿題の軽減と塾規制が発表され業界はパニックに

この年、中国の教育産業は文字通りパニック状態に陥った。関係者には、悪夢の年として記憶されるだろう。

「内巻」（「不条理な内部競争」を意味する中国のネット流行語）に歯止めをかけるため、政府が規制に乗り出したからだ。

中国共産党中央弁公庁と国務院弁公庁は２０２１年7月24日、小中学生の「宿題」「学

図5　中国での小中学生の宿題、塾規制

中国政府は宿題と塾への規制の中でオンラインの英語教育にも規制をかけた。子どもの時間を守ることに主眼が置かれており合理的な面もある。

宿題の軽減

- 筆記の宿題は小学1・2年生はなし
- 小学3〜6年生は60分、中学生は90分以内
- 放課後に補習授業
- 下校後はスポーツ奨励

塾規制

- 塾の新設は許可しない
- 学習塾は非営利化
- 週末の課外授業禁止
- 夏季冬季休暇の講習禁止
- 海外にいる外国人による教育活動禁止
- オンラインでも夜9時までに授業終了

中国の各種報道から筆者作成

習塾」を減らす政策（双減［ショワンチェン］＝2つの減少という意味）を発表した。子どもと保護者の負担と精神的圧迫を減らし、教育費の負担が一因となっている少子化にも歯止めをかけ、広がる教育格差を埋めるのが狙いだった。

規制内容は多岐にわたっている。

「小学3〜6年生の筆記の宿題は60分以内、中学生は90分以内に終わる内容にする」と定めた。共産党政権が圧倒的な力を持つ中国でしか、家庭内に踏み込む、こんな規制はあり得ないだろう。

さらに学習塾の新設を禁止し、既存の塾の非営利化を求めた。土日祝日と長期休暇中に

塾が授業を行うことを禁止、広告宣伝もできない。授業料は政府が管理し、企業の上場や資金調達も大きく制限した。

英語偏重を改め、思想教育に振り向ける

これに呼応して、上海市は2021年9月の新学期から小学生の期末試験で、英語の問題を出すのをやめ、試験の回数も減らした。英語教育への根強い批判を意識した「改革」だった。北京市も、当局の認可を受けていない外国教材を義務教育で使用することを禁止した。

一連の教育改革に合わせて、思想教育を強化することも忘れてはいなかった。小中学校では、「道徳と法治」、高校では「思想政治」の授業の中で「習近平思想」を必修にして思想教育を徹底させた。

人気を集めていたオンライン教育については、高額な授業料を前払いで払わせながら、授業の予約がなかなか取れないなどトラブルも相次いでいた。このため中国政府は、オンライン教育の大手15社に対し、虚偽の授業料を提示したとして罰金を科した。

しかし、一方で副作用も心配されている。まずは英語への関心低下だ。これにより国際的な競争力のある人材が育たない可能性がある。ヤミの学習塾や家庭教師が増え、授業料が高騰することも想定される。

プラス面が多いのか、マイナス面が多いのか、この壮大な社会実験の行く末はまだ見えていない。

新東方は6万人解雇、農産物の通販会社に転換

中国の塾チェーン大手、新東方教育グループは、「双減」政策で最も影響を受けた会社だろう。

会社の創業者である兪敏洪が、中国の「両会」で英語教育を擁護する発言をしていたことを紹介したが、彼は中国では有名な企業家だ。

眼鏡をかけた朴訥《ぼくとつ》とした雰囲気の兪は、数々の失敗を乗り越えてきたことでも知られる。

彼の物語は『中国合伙人（American Dreams in China）』という映画にもなった。

中国東部、江蘇省の貧しい農家に生まれた兪は、養豚と稲作の家業を手伝いながら学校

に通った。

大学進学を夢見るが、大学入試に失敗し、３回目でようやく北京大学に入学する。英語に中国語のなまりがまじり、同級生から「日本式の英語だ」とからかわれた。それでも猛勉強の末、北京大学に教員として残ることに成功した。

ところが、大学の名前も使って自分の夢だった留学の費用を稼いでいたことが発覚して解雇された。仕方なく１９９３年に妻と学習塾を始めた。独特の教え方が評判となって、多くの生徒を集める人気塾となり、全国に展開した。ニューヨークと香港の２つの市場にも上場するまでになった。

しかし、２０２１年に政府が「双減」政策を発表後、株価は暴落してしまう。全国にあった教室は閉鎖に追い込まれた。兪は自ら、会社の窮状を発表している。会社の市場価値が90％下落し、営業利益も80％減少したこと。また6万人の従業員を解雇したことなどだ。授業料の払い戻しなどで巨大な現金支出を迫られ、経営は苦境に陥った。普通の経営者なら諦めて会社を清算するだろうが、兪は放棄しなかった。

各地の教室にあった８万組の机と椅子のセットを希望者に寄贈する一方、新会社を設立してテレビショッピングでの農産物の直売に乗り出した。新東方の苦境に同情した人たちの協力もあり、今のところ順調に売り上げを伸ばしているという。オンライン学習塾大手の猿輔導は、学校のデジタル化を支援するコンサル業を中心に据える一方、アパレル企業を設立し、業界関係者を驚かせた。

若者は中国語をしっかり学び、国の基礎を作れ

英語排除の動きは、間違いなく中国内のナショナリズムの台頭と影響している。それはまたアメリカに対抗するまでに成長した中国の「自信」の表れでもある。

中国での一連の教育規制について、国営新華社通信（2021年9月17日）がこんな報道を行っている。

「外国語は国の共通言語をしっかり学んだ上で学ばなければならない。国の共通言語は中国人、特に若い世代にとっては、言語の基礎、立身の基本だ。国の共通言語をしっかり学ぶことは、その他の科目（外国語を含む）の学習にとっても極めて重要だ」

つまり、外国語を学ぶ前に、中国語をしっかり身につけよということだ。それはそれで

よいが、気になるのはすでに「中国語の時代」なのに、わざわざ英語をあがめる必要はないと強調している点だ。報道にはこうある。

「中国の影響力の拡大に伴い、中国語の魅力も海外でますます上がっている。世界の70か国以上が中国語を国民教育体系に導入しており、中国以外で中国語を学習している人の数は約2500万人にのぼる。中国語を学び、中国語を用いる。これは海外ですでに盛んになり、ひとつの風潮になっている」(同)

その上で、学業の負担軽減に名を借りた英語敵視ではないか、今後中国の対外開放にも悪影響を与える、との西側メディアの報道については、「内心の優越感に基づく不必要な憂慮だ」「英語だけを対象とした改革ではなく、外国語学習の重要性を引き下げるものでもない」と反論している。どう説明しようが、今回の改革は強引さが目立つと言うしかない。

オンライン英会話教室は台湾やタイ、シンガポールへ

中国政府の教育規制の影響を受けたのは、VIPKidも同じだった。2021年の10

月15日、ＶＩＰＫｉｄは、利用者に向け、次のような声明を発表した。これが大きな波紋を起こすことになる。

「1対1の外国人教師のオンライン講座は中国本土では利用できなくなり、新たなレッスンも買えなくなります。クラスの予約も10月19日の深夜0時に停止されます。（機械が対話の相手をする）ＡＩレッスンに交換することは可能です」

これは、オンライン英会話教室の巨人、ＶＩＰＫｉｄの事業の大半がストップすることを意味していた。「双減」政策では、教育訓練機関が海外から教育コースを提供することは固く禁じられており、外国人を海外で雇用して教育活動を行うこともできない。

この発表はわが家にも届き、困惑させられた。この時点で6か月の時間と10万円分以上のレッスン受講の権利が残っていたが、突然使えなくなるというのだ。返金を求めたが、本社や担当者に電話やメールをしても反応はない。多分数十万人の顧客が一斉に問い合わせをしており、パンクしているのだろう。

ＡＩレッスンは、それなりの水準だろうが、これまでネイティブ講師から学んでいた人が、わざわざ機械相手に勉強する気持ちになるだろうか。さんざんあちこち電話したあと、諦めることにした。

もうオンライン英会話教室はやめようと思ったが、中国発のオンライン教育は独自のコンテンツが豊富で、費用の割に質が高い。中国発のほかのサービスを探すことにした。

フィリピンの講師を使い、安価なオンライン英会話教室として知られる深圳《しんせん》市の企業、阿卡索（アカソ）外教は、大人用と海外在住の子ども向けのサービスに転換し、再スタートしていた。２０２２年に入ってからは、息子にはここで勉強させている。この授業料は、ＶＩＰＫｉｄの10分の1だ。授業の内容や先生の意欲は、やや物足りないが、ここからは生徒本人のやる気次第だろう。

ＶＩＰＫｉｄにいた講師たちは、台湾やタイ、シンガポールの会社に登録替えして、一部は中国の子どもたちに英語を教えているという。

監視すり抜けヤミ塾が続々、個人授業は1時間1万円

中国のネットで広く拡散したある画像がある。

「あなたが塾に来るなら、あなたの子どもを教えます。あなたが来ないなら、あなたの子

どものライバルを教えます」

これはある学習塾の生徒募集のための看板だという。親心を刺激する内容だが、中国の受験競争の実態を反映している。

政府が学習塾や英語を禁止したとしても、「何とかわが子だけには受けさせたい」「ほかの子にみすみす負けたくない」と思うのは自然な親心だろう。

多くのネイティブ英語教師は、中国政府の突然の方針転換に驚き、嫌気がさして帰国してしまった。しかし中国滞在が長く、中国で家庭を持った人は、そのまま残り、口コミで紹介を受け、家庭教師の形で仕事を続けている。

私の妻の知人で、北京の中心街に住む43歳の主婦は、イギリス人を週に数回家に招き、中学生の娘に英語を教えてもらっている。授業料は1時間で何と1万円だという。

「高いけれど、将来子どもは留学を考えており、続けるしかない。今はこれが相場」と彼女は話す。政府が教育格差の解消を図ったとはいえ、むしろ、格差を広げることにならないか心配になる。

中国では今、英語や学習塾の代わりに、バスケットボールや水泳、体操などを学ぶ「合法」のスポーツ塾が大盛況となっているが、一方で、ヤミ塾も生まれている。

表向きは「ダンス教室」の看板を掲げているが、生徒が集まると窓を閉め切って、折りたたみの机と椅子を広げて勉強を教える。これを知った別の親が当局に通報して、塾の経営者が罰金刑となる事件が、中国の新聞に数多く報じられている。

思考がアメリカ流になることへの危機感

オンラインの英語をはじめ、学校外での教育を大幅に制限し、思想教育を強める中国はどこに行くのか。文化大革命時代に、英語を敵視する風潮が生まれたことがある。あの時のように、ますます、ナショナリズムを強めていくのか。

日本と中国の教育に詳しい研究者である王智新に直接会って、質問を投げかけてみた。

「英語を全部切ってしまおうということではないですね。硬直した対応とは言えません」

との答えが返ってきた。

王は1952年、中国・上海生まれ。1985年に来日し、宮崎公立大学人文学部教授などを歴任した。専攻は教育学で、『沸騰する中国の教育改革』（共著、学習院大学東洋文化研究叢書、東方書店）など関連する著書も多い。

「英語による文化的な影響力が強すぎる、英語に使っているお金が多すぎるという問題意識なのです。次の若い世代の頭が、アメリカ式になって中国政府の指示を聞かなくなる。それが一番心配なのです」

宣教目的で中国に入ってくる英語講師を排除する狙いもあるのだろうか。王は「宣教はそんなに大きい問題ではないでしょう。彼らが布教対象としているのは、むしろ高齢者ですから」と話す。

ただ中国の大学は、清華大学をはじめ、アメリカの宗教団体が設立したところが少なくない。英語教育が過熱すれば、大学自体が中国共産党の指示に従わなくなる危険性も意識されているという。

大学入試の試験科目から英語が外され、若者が英語に取り組まなくなると、アメリカへの興味関心が薄れる。そのことは、むしろ現在の米中対立を激しくさせる要素となるのではないか、相互理解の支障になるのではないか。いろいろと疑問は膨らむ。

その点について王に聞くと、「そこは私も心配ですが」と前置きし、中国の有名な言葉を引用した。「上有政策、下有対策（上に政策があれば、下に対策がある）」。権力者が何か決定したら、それに背かないように下の人たちは巧みに対策を立てる。

「政府が抑えても、市民は英語教育を続けます。それは政府も分かっている。お金持ちの人たちは何とかして英語を子どもに教えようとするでしょう」（王）

中国での英語教育はますます個人レベルの努力に任されるようになり、教育格差が広がる可能性もありそうだ。

ウイグルなど少数民族に対する普通語教育を強化

「過剰」な英語教育にブレーキをかける中国政府。一方で、国内では少数民族に対して普通語教育を強化している。国としての一体感を強めるためだ。

何かと注目を浴びる新疆《しんきょう》ウイグル自治区を見てみよう。この自治区は中国の西北部にある。チベット、青海省、甘粛省と接しており、周辺にはモンゴル、ロシアなど８つの国がある。総面積は１６６万平方キロメートル。中国全土面積の実に６分の１を占める広大さだ。

自治区の総人口2585万人の約45%を、イスラム教徒でトルコ系のウイグル族が占める。

中国の少数民族は、自分の民族の言語で教育を受ける権利が認められていた。いわゆるバイリンガル教育だ。

近年中国語教育が徐々に強化されている。ウイグル自治区では標準中国語の普及策が強化され、ウイグル語の使用は制限されている。教育水準を高め、緊密な交流を実現することを名目としている。

一方、香港にも変化が起きている。中国政府は、英語や中国語のひとつである広東語が主流の香港で標準中国語の教育を強化し、普及を促す方針を打ち出した。香港に住む人たちの、中国への帰属意識を育てる狙いだ。

中国資本の香港進出が進み、香港の若者が仕事を見つけるには標準中国語が必要になっている。中国語の押しつけには反発も強いが、背に腹は代えられない。若者たちは標準中国語の習得に努めるようになっている。これにより多言語が飛び交うエスニックな香港の魅力は、徐々に消えていくだろう。

第3章 世界に自国語を売り込む中国

孔子学院の教師はなぜ狙われたのか

パキスタン南部カラチ市にあるカラチ大学で、自爆と見られる爆発が起きたのは2022年4月のことだった。警察の発表では、中国語教師3人とパキスタン人運転手が死亡した。

爆破直前の現場写真を、地元警察が発表している。学校施設の入り口に向かう白いバンの脇に黒っぽい服を着た女性が立っていた。爆発は、この直後に起きた。バンには大学内に設置されていた「孔子学院」の教師らが乗っていた。バンは大破し、死亡した4人のほかにも、4人が負傷した。

犯行は「バルチスタン解放軍」（BLA）の仕業だった。パキスタン西南部バルチスタン州等に多く居住するバルーチ人の過激派組織だ。パキスタン西南部の分離独立を掲げ、中国企業や中国人への攻撃をエスカレートさせている。現地の報道によれば、犯行声明にはこう書かれていた。

「孔子学院の関係者を狙ったのは、中国の経済的、文化的、政治的膨張主義の象徴だからだ。この地域で直接または間接に、中国が存在することは許されないとの明確なメッセージを中国に与えることが目的だった」

シャリフ首相は徹底捜査を指示

自爆犯の女性は高い教養のある人だった。動物学の修士号を取得し、医師と結婚した。2人の子どもの母親でもあった。2年前に過激派組織に加わり、この半年前、自ら志願して自爆テロを行うことを決めたという。

パキスタン政府はこの事件に大きな衝撃を受けた。友好関係にある中国が重視する文化施設の関係者が、テロの対象となったからだ。

事件発生後、パキスタンの首相シャバズ・シャリフは、わざわざ中国大使館を訪れて哀悼の意を表明している。犠牲者の遺族と中国政府、中国人民に対して深い哀悼の意を表し、「パキスタンはあらゆる形のテロリズムを非難する。パキスタンと中国の戦略的協力パートナーシップに損害を与えようとする敵の邪悪なたくらみは、両国のはがねのようにかたい、兄弟のような関係を揺らがせることはなく、両国の協力関係にも影響を及ぼすことはない」と述べている。

中国との関係が損なわれないようにと懸命になっている様子が伝わってくるようだ。

孔子学院はわずか20年で世界に広がった

若い女性が、自分を犠牲にしてまで標的にした孔子学院とは、いったいどんな組織なのか。

きっかけは中国が１９９０年代に行った市場経済の導入であった。特に２００１年の世界貿易機関（ＷＴＯ）の加盟に伴って、中国への認識を高めるため、世界に中国語を広める政策が強力に進められた。

孔子学院は、中国教育省と、孔子学院本部である中国国家漢語国際推進指導小組弁公室（漢弁）による直接支援のもと、思想家・教育者・哲学者として世界的に有名な孔子の名を冠して、世界各国に設立され始める。２００４年のことだ。

孔子学院の目的は次の通りだ。

「世界各国（地区）の人々の中国語学習に対する需要を満たし、世界各国の人々の中国語・

中国文化に対する理解を深め、中国と諸外国の教育文化交流・協力を強め、友好関係を築き、世界文化の多元的発展を促進し、調和的世界を建設する」（孔子学院章程より）

孔子学院では、学校ごとにさまざまなプログラムが展開されている。気功や、紙切り教室を開いているところもある。

カラチの孔子学院では中国語を教える傍ら、中国の歌を歌うカラオケ大会やスピーチコンテストなどが行われていた。

中国政府は、優秀な成績を収めている学校や個人に「先進孔子学院」や「先進優秀個人」などと表彰して激励し、優秀な学生には奨学金も与えている。

漢弁に代わって、現在孔子学院の運営に当たっている中国国際中文教育基金会が公開している資料などによれば、２００４年に韓国のソウルなどわずか７か所で始まったあと、２０１９年末には162か国・地域で550か所まで増えた。（現在はやや減っている。）

中国側は２０２０年までに、世界で１０００か所の学院を作り、３０００人に奨学金を提供するという大胆な計画を作っていたが、各地で反発も受けており、計画の半分強にとどまっている。

多くの国が自国の語学、文化普及機関を持っている

孔子学院のように国が後押しして、言語や文化を広めるための機関は数多くある。代表的なのはイギリスのブリティッシュ・カウンシルだ。1934年にイギリスで設立され、日本では1953年から活動を始めている。公的な国際文化交流機関であり、文化芸術、教育、英語を通じて、イギリスとそのほかの国の人々の間につながりを育み、互いの理解と信頼を築くことを目標としている。イギリスでの言語教育のあり方についても提言を行っており、第1章で紹介した通り、中国語の重要性を訴えるレポートも発表している。

最も歴史が長いのはアリアンス・フランセーズだ。フランス政府の公認・助成を受けた非営利団体で、フランス語とフランス文化の教育を行う。1883年に創設され、フランス全土に28校、世界138か国に展開する。

ほかにも、日本の国際交流基金、ドイツのゲーテ・インスティトゥート、プーシキン・ロシア語学院、スペインのインスティトゥト・セルバンテスなどがある。

図6　自国の言葉と文化の普及を図る各国の国際機関

欧米の有力国は自国の文化や言語の普及を図る機関を持ち、世界に展開している。中国の孔子学院は歴史こそ浅いが、現地の大学と提携する方法で急速に普及、施設数でも他国を凌《りょう》駕《が》している。

名称	設立年	概要
中国 **孔子学院**	2004	2020年、162の国･地域に541孔子学院、1154孔子課堂（大学以下レベルでの設置施設）
フランス **アリアンス･フランセーズ**	1883	世界138か国に展開するフランス語学校、文化活動も
ドイツ **ゲーテ･インスティトゥート**	1951	ドイツ語教育推進。文化、社会、政治の最新情報発信
イギリス **ブリティッシュ･カウンシル**	1934	200以上の国と地域の人々と協力、100か国以上で活動
アメリカ **アメリカン･センター**	1972	世界各地で米大学･大学院留学の情報発信やイベント
日本 **国際交流基金**	1972	24か国･25の海外事務所、日本語教育や日本の文化発信

各機関のホームページなどから筆者作成

それらは独自の建物を持ち、その中で語学教育や文化活動を行っている。大学同士の提携という形式をとる孔子学院とは違っている点だ。

アメリカはアメリカン・センターを東京などに展開しているが、イベントやプログラム、アメリカに関する各種情報などを提供するだけで語学教育といった活動はしていない。

アメリカが目指した中国語学習者10万人計画とは

将来を見据えて子どもに中国語を教えたアメリカの著名人は少なくない。アメリカ人は、もともとあまり外国語学習に熱心ではない。英語が世界語になったので、苦労してほかの言語を学ぶ必要がないためだ。

アメリカの調査機関、ピューリサーチセンターが２０００年に公表したデータによると、ヨーロッパの小中学生の91％が外国語を学んでいる。ところが、アメリカ人学生で学んでいるのはわずか20％に過ぎなかった。

しかし、中国の台頭は「外国語軽視」のアメリカ人の若者にも刺激となったようだ。全米外国語教育協会（ＡＣＴＦＬ）のデータによると、アメリカ全土の公立中学・高校の生徒のうち、第２外国語の学習で中国語を選択した生徒は２００４年の２万人から２０１２年には10万人以上に増加している。

　こういった流れを受けてアメリカ政府はオバマ政権時代の２００９年、中国との間で人材育成計画を発表している。流暢《りゅうちょう》な中国語を話せる人材を10万人育てるというものだ。

　フォード財団の支援を受けた米国国際教育研究所（ＩＩＥ）が、アメリカの学生10万人を中国語が話せるようにするための育成プログラムを作った。ＩＩＥは交換留学制度と留学生の援助などを行う非営利法人だ。このプログラムは、アメリカ国務省も後援している。

アメリカの孔子学院、一時は世界一の数に

　こういった中国語ブームを背景に、中国は、アメリカ初となる孔子学院を東部メリーランド大学内に開設した。２００４年のことだ。

　その後も全米に広がったが、急速に増えたのは２００８年の金融危機以降だった。中国語の授業を増やしたいものの、資金難などで対応できない大学にとって、孔子学院は好都合だった。

アメリカの孔子学院

中国は、米国内の孔子学院の普及に最も力を入れてきた。立派な専門施設も建設されたが、激しい反発を招き、相次いで閉鎖に追い込まれた。

米アラバマ州トロイ大学の孔子学院（2018年）＝NASホームページより

孔子学院の特徴としてまずは「面倒見のよさ」が挙げられる。一般的に中国の大学と海外の大学などが共同設置する形式を取っている。パートナーである中国側の大学は、北京大学をはじめとする有名大学で、施設費などの負担は海外の設置大学、教材・カリキュラムと教員にかかる経費は中国側の大学が負担する。

孔子学院長は海外の大学が受け持ち、副院長は中国人教員となる。学生は、設置大学が孔子学院名で募集する。授業料は設置大学によってまちまちだが、1講座あたり年間3万～4万円程度になることが多いようだ。

孔子学院系列では「孔子課堂」という学校

もある。大学以下のレベルの教育機関が設置者となっており、中国の食文化に重点を置いている。

孔子学院を学内に併設したアメリカの大学は、一時、約120校に達し、世界最多となった。ところが、事情は一変する。

アメリカ議会は、「透明性と互恵性に欠ける組織」と断定

２０１４年６月、全米科学アカデミー（ＮＡＳ）が「孔子学院は中国政府の一機関で、『学問の自由』を無視している」と批判する声明を発表した。

ＮＡＳによれば、孔子学院本部を運営する「漢弁」がアメリカの大学と結ぶ合意文書のほとんどに、非開示条項があり、「教員を管理することや授業内容の選択をすることが、孔子学院側にだけ許されている」と指摘した。

その上でＮＡＳは各大学に対し、自主性と学問の自由が担保されない限り、中国側との契約を打ち切るよう求めた。

あくまでＮＡＳの見方ではあるが、これを受けて孔子学院への警戒が広がっていく。同

年9月には、シカゴ大がアメリカで初めて、孔子学院の閉鎖を決めた。大学と提携して学院を作る方式は、独自の建物を持つよりも簡便だが、疑念や批判を招く結果となった。

アメリカ議会には2019年、孔子学院に関する調査を行う常設小委員会が設置された。テーマは「アメリカの教育システムに対する中国の影響について」。つまり、孔子学院がアメリカの大学に及ぼす影響について検証するのが目的だった。8か月かけて進められた調査では学校関係者、教師、孔子学院の関係者にインタビューが行われた。

孔子学院が運営中か、すでに閉鎖されたアメリカの大学から、数万ページの契約書、電子メール、財務記録、およびその他の内部文書を入手したという。まるで犯罪捜査のような徹底ぶりだった。

その結果「透明性と互恵性」に問題あり、との結論に達している。

アメリカ国内に増殖するもうひとつの「中国」

報告書が指摘していた不透明さとは、中国側が孔子学院に資金援助する一方で、さまざまな条件を付けていたことだった。例えば、孔子学院に派遣される中国人教師は、中国政府と「中国の法律に従い中国の国益を誠実に保護する」ことを約束しており、守らない場合には契約は打ち切られることになっていた。また、一部のアメリカの学校は、自分の学校内にある孔子学院について、中国とアメリカの両方の法律が適用されることに同意し、契約に盛り込んでいた。

これらの条件は、「中国の国益を守り、中国に不利となる議論を行わない」ことを意味する。台湾の独立や、中国でタブーとなっている民主化運動の天安門事件などは、授業の中で触れないということだ。孔子学院は言わば、アメリカにおける「もうひとつの中国」のような存在になっていた。

さらに中国政府は２００６年以来、100以上のアメリカの学校に１億５８００万ドルを提供したとも報告していた。

一方、アメリカが中国内で行っていた活動は邪魔されており、「互恵性」に問題ありとされた。２０１０年以来、アメリカ国務省は中国にある29の「アメリカ文化センター」（ＡＣＣ）に510万ドルの助成金を提供した。ＡＣＣは、中国の学生にアメリカの文化や留学の情報を提供する施設だ。しかし中国政府はＡＣＣの活動を制限し、29のＡＣＣのうち７つは開くことができなかった、としている。

「孔子学院は背後に中国共産党がいる」と米国務長官

米中関係は、貿易摩擦が拡大しながらも、首脳同士の交流が続いていた。しかしここ数年、中国への輸出量に比べ、中国からの輸入量が上回り、アメリカの対中国貿易赤字は膨らんだ。

アメリカ国内の雇用減少にもつながるため、当時の大統領トランプは、中国の輸入品に関税をかける決定をした。

中国側もこれに対抗して、アメリカからの輸入品の一部に関税をかけることを表明。アメリカは関税対象を広げて報復し、貿易摩擦は拡大の一途をたどった。

両国の対立は、ハイテク分野の覇権争いや知的財産権の保護、新疆《しんきょう》ウイグル自治区、ウクライナ、台湾をめぐる問題にまで発展した。新たに大統領に選出されたバイデンも、中国に対抗する姿勢は変えていない。いやトランプ時代よりも、強硬になっている。

米中間の対立のあおりを受ける形で、アメリカでの孔子学院への批判は高まった。トランプ政権は、孔子学院は中国共産党の宣伝工作活動の一環との認識に立って、法的な規制を強めた。

２０１８年8月に成立した「国防権限法（予算の大枠を決める法律）２０１９」では、孔子学院での中国語カリキュラムに政府資金を使用することが制限され、大きな打撃となった。

２０２０年8月13日には、国務長官のマイク・ポンペオが「孔子学院」について、大使館などと同様に外交施設としての登録を義務付けるとの声明を発表した。これにより、活動内容やカリキュラムの報告が義務付けられた。

声明においてポンペオは、孔子学院について「アメリカの大学や学校などで、中国政府のプロパガンダと有害な影響を拡散する機関」と厳しい口調で断言した。

アメリカの小中高校や大学などの教育機関が孔子学院と契約や提携した場合は、当局への報告を義務付ける行政命令（大統領令）も発表された。同命令を無視して報告しない学校は、中国との交流に制限がかけられることになった。

中国のパワーはソフトからシャープになった

孔子学院は、一種のソフトパワーといえる。ソフトパワーとは、アメリカの著名な国際政治学者ジョセフ・ナイが提唱した有名な用語だ。

軍事力や経済力などの対外的な強制力によらず、その国の有する文化や政治的価値観、政策の魅力を広めることにより、発言力を獲得し、国として認知を受けることを意味する。

しかし今、中国の動きは「シャープパワー」と呼ばれ警戒されている。これは権威主義国家が世論操作などを用いて他国に圧力をかけ、自国に有利な状態を作り出していく、より攻撃的な外交戦略のことだ。

中国の動向に詳しい、アメリカ・ジョージア州立大学准教授のマリア・レプニコワは、アメリカと中国では、ソフトパワーの概念が違うと指摘している。

アメリカは、自由、民主主義といった「価値」を訴えることがソフトパワーの中核だ。しかし中国は、中国企業への就職、中国への留学といったより現実的な利益を、ソフトパワーとして使っていると、外交専門誌フォーリン・アフェアーズ（2022年7～8月号）

への寄稿で書いている。

アメリカなどからの批判を意識してか、中国政府は孔子学院を新しい組織である中国国際中文教育基金会の下に再編成した。そして、アフリカや中南米に力を入れ始めている。

一斉排除するほどの組織ではない？

一方で、アメリカにおける孔子学院の一斉排除に、疑問の声があるのも事実だ。

アメリカの政府機関を監視する政府監査院は２０１９年２月、孔子学院を運営する全米90の孔子学院に聞き取り調査し、報告書を公表している。それを読むと、孔子学院はアメリカ政府などが神経質になるほどのことはないと思える。

確かに孔子学院と大学側が交わしていた契約文書には守秘義務をうたったものもあったが、秘密扱いではなく契約内容はネットで一般公開されているものもあった。

また大学側は、「中国側を怒らせないため、敏感な話題を扱うイベントは行わない傾向」（報告書）はあったものの、調査した大学の職員は、中国側がいかなるイベントにも制限を設けていないと述べていた。調査した大学すべてが「孔子学院のカリキュラムは、大学側の完全な支配下にある」と回答し、中国の影響を否定していた。

実際、孔子学院の授業を受けた人の話を筆者も聞いてみたが、「ごく普通の語学教育機関であり、思想教育やスパイ機関とは思えなかった」との意見がほとんどだった。「授業はあまり厳しくない」と話す人もいた。

中国から派遣された教師の個別な行動までは分からないが、孔子学院に対するアメリカの過敏とも思える反応は、文化面でも追い上げてくる中国への焦りだろう。

「批判は根拠がない」と孔子学院担当者は反論する

日本国内の孔子学院に対しても、風当たりは強くなっている。関係者はどう考えているのだろうか。日本では、立命館、早稲田、桜美林など伝統的に中国との結びつきの強い15の大学で開校したが、工学院、兵庫医科大学で閉鎖され、現在は13校となっている。

日本では民間レベルでも中国語教育が盛んなため、手頃な値段で中国語が学べ、さまざまなチャンネルを通じて留学の機会も得られる。正直、孔子学院のメリットは感じにくい。

さらに国際的な批判が強まっていることもあって受講生がなかなか集まらず、「大学の重荷になっている」（関東の孔子学院関係者）という声も聞いた。関係者に取材を申し込んだが、敏感な話題なのでと断られた。

そんな時、ある文章を読むよう勧められた。日本で最初に孔子学院を設置した立命館大学の事務局長・佐々木浩二が書いた文章だ。「私から見る中国」作文コンクール（2021年）の「3等賞」に選ばれており、孔子学院への誤解や批判について反論している。タイトルは「私から見る中国」で、全文が駐大阪中国総領事館のホームページで公開されている。

文章の骨子は次の通り。

> 孔子学院はスパイ機関であるという報道は証拠や根拠もなく、自分が知る限りではスパイ機関だとして訴追された孔子学院はない。
>
> 日本も含めてほとんどの国が自国の言語・文化を普及するための機関を設置しているので、それらと基本的には変わらない。
>
> 孔子学院の場合、現地の大学等と中国の大学が共同して設置している点がユニークだ。
>
> しかし政治的な意図による宣伝活動をしている実態は皆無である。

日本国内にある孔子学院も、各大学の判断により設置されている。閉鎖するにしてもスパイ疑惑や中国の価値観の押しつけといった理由ではない。

そして「批判に値するエビデンスも無く、事実の検証も無く、予め設定したシナリオに沿って報道するマスコミの姿勢が問われます。良識あるマスコミには、是非客観的な立場で孔子学院の取り組みを評価して頂きたいと考えます」と、冷静さを呼びかけているが、風当たりは強まっていきそうだ。

アフリカでは中国がアメリカより好まれている意外な事実

中国のソフトパワーは、着実に成果を挙げている。アフリカの若者たちは、アメリカより中国を好み、中国はアフリカに前向きな影響を及ぼす国とみている――こんな世論調査が最近発表され、注目を集めている。

調査したのは南アフリカにある「イチコウィッツ（Ichikowitz）家族財団」だ。アフリカ15か国の18～24歳の若者4507人を対象に調査を行った。「2022年アフリカ青年世代調査」というタイトルで2022年6月に公表された。

図7　アフリカに最も影響力のある国

中国の経済進出が著しいアフリカでは、「アフリカによい影響を与える国」という質問に中国を選ぶ人が多くなり、アメリカを逆転している。

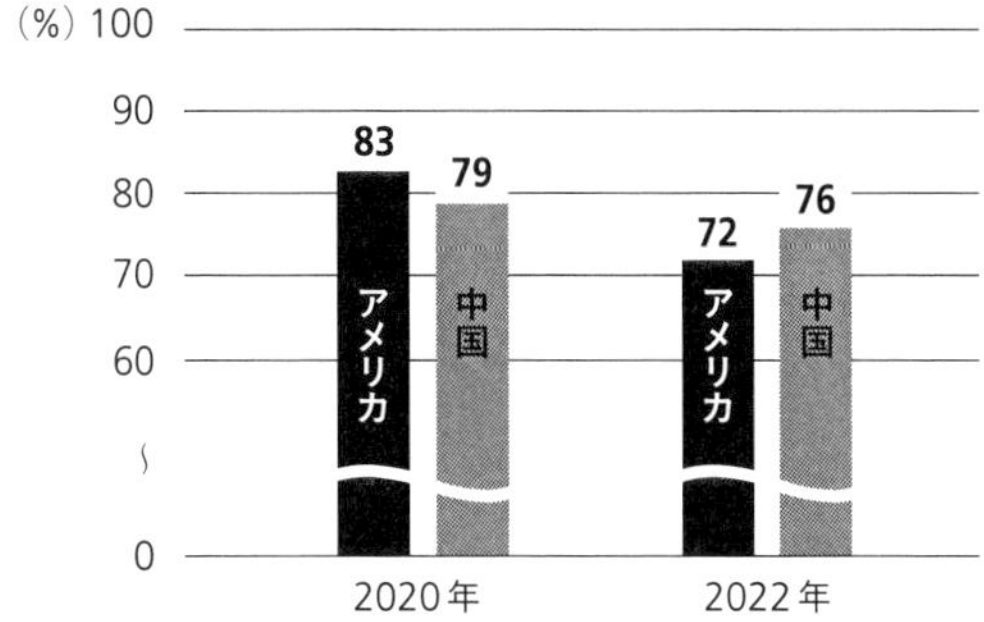

イチコウィッツ家族財団（南アフリカ）の調査から筆者作成

「アフリカに肯定的な影響を与える国・地域」を聞く質問ではアフリカ連合（AU、82％）、南アフリカ（80％）に続き、中国（76％）が3位に食い込んだ。

アメリカ（72％）は欧州連合（EU、74％）やイギリス（75％）にも後れを取った。2020年の調査では、アメリカに対する肯定的な評価が83％で、中国（79％）を上回ったが、今回逆転してしまった。

中でもルワンダ（97％）、マラウイ（95％）、ナイジェリア（90％）では、ほとんどすべての若者が中国の影響力を肯定的なものと見なしていた。

ただ中国の影響力をより詳細に聞く質問か

らは、屈折した感情も読み取れる。中国の影響力を前向きに評価する人の44％は、中国製品が安いことを挙げた。社会の基幹施設に対する投資と援助、アフリカに雇用を創出する、国家融資や経済的支援、輸出市場の提供なども重要な理由だった。端的に言えば「経済的メリットをもたらしてくれる国」ということだ。

中国を否定的に捉える人もいる。中国は適正な価格を払わずにアフリカの資源を持ち出している。中国人労働者がアフリカで現地人の雇用を奪っている。中国投資による経済的植民地化に対する懸念もあった。アフリカに対する尊敬が欠如している、中国向け融資の返済が難しいとの指摘もあった。

巨大経済圏構想「一帯一路」が成果を挙げる

アフリカへの中国の投資が、アフリカの人々に大きな影響を与えているのは間違いない。アフリカで中国の評価が高まっているのは、中国からの投資効果だ。中国はインフラ建設に積極的に協力する。見えやすく、分かりやすい。

中国がアフリカ諸国に積極的に投資し始めたのは、国家主席の習近平が２０１３年に巨大経済圏構想である「一帯一路」を打ち出してからだ。これは東南アジア、中央アジア、アフリカ、欧州地域に「陸路」と「海路」で進出する経済発展計画を指す。

アフリカ諸国への中国の輸出額は２０００年の50億ドルから２０２０年には１１００億ドルを超え、中国はアフリカ大陸の最大の貿易相手国となっている。

中国は、開発途上国などに資金を貸与し、中国の会社と労働者を進出させ、高速道路や橋梁《きょうりょう》、港湾などの社会基盤施設を建てる方式をとっている。

アフリカではケニア、エチオピア、タンザニアなど資金の足りないアフリカ諸国がこの事業を積極的に受け入れた。だが、一部の国は借金がかさみ、返済不能状態に陥っている。中国に対して「借金取り外交」「債務のわな」という批判も起きている。

中国政府が２０２１年９月25日付で発表した「中国・アフリカ　経済・貿易関係年次報告２０２１」によると、中国からアフリカへの輸出額は前年から０・９％増の１１４２億ドルで、中国は12年連続でアフリカ最大の貿易相手国となった。

正確な統計はないが、過去20年間に、100万人以上の中国人がアフリカに移住したと見られている。アフリカは「中国の第２の大陸」と呼ばれることもあり、養鶏から建設、通信産業に至るまで、あらゆる種類の産業に関与している。

中国語は50年以内に、アフリカの公用語になる

中国のソフトパワー、もしくはシャープパワーと呼ばれる文化戦略も影響している。アメリカからはじき出された格好の孔子学院は、アフリカやラテンアメリカで確実に地位を築いている。多くの国の学校で設立され、中国の文化進出の橋頭《きょうとう》堡《ほ》になっている。

かつてアフリカの多くの国々は、イギリス、フランス、ドイツ、イタリア、スペインなどヨーロッパ諸国の植民地であった。植民地時代の名残りから、アフリカの多くの国では旧宗主国の言語を公用語にしている。アフリカ人の知識人の中に流暢なフランス語を話す人がいるのは、そんな事情からだ。

アフリカ諸国が独立後、旧宗主国は経済復興を支援したが、中国がその座を奪いつつあり、言語の面でも影響力を高めている。

アフリカでの中国語学習人気が高まっている様子を香港の英字紙サウス・チャイナ・モーニング・ポストが伝えた。２０１７年のことだ。

舞台はセネガルのシェイク・アンタ・ジョップ大学。セネガルは西アフリカで最も安定した民主主義国家のひとつとされている。

同紙によれば、中国政府の支援を受けて２０１６年に孔子学院が新設された。新設コストは250万ドル（約2億７０００万円）かかったが、すべて中国政府が負担した。同大学の孔子学院には７つの講義室に加え、マルチメディア室、会議室、図書館が備えられており、500人以上を収容できる能力を持っている。運営コストと12人のスタッフへの給与も中国政府が負担した。

孔子学院に入ると、訪問者は大きな顔を持った孔子像に迎えられる。

孔子学院の院長であり、歴史学教授ママドゥ・フォールは、彼の学生が最近、ヨーロッパやアメリカで勉強するためのビザを取得することが難しくなっていると指摘した。一方、中国政府は、セネガルの学生のビザ要件を緩和し、毎年、孔子学院から中国の大学でマンダリンを学ぶための優秀な学生50人に奨学金を提供している。

フォールによれば、北京語の人気が高まっているのは、就職に役立つ言語スキルを習得するという短期的な目的だけではない。野心的な若いアフリカ人が、中国で夢を実現するには中国語の存在が重要になるためだ。さらにフォールは、「50年以内にアフリカの公用語は中国語になる可能性が高い」と同紙に語ったという。

台湾が新たな中国語学習地として名乗りを上げる

孔子学院への反感が高まる一方、学生に台湾で中国語を学ばせようとする国が増えている。台湾の中国語教育や防疫の取り組みを評価する欧米やインドだ。

台湾外務省が運営する日本語サイト「Taiwan Today」によれば、イギリスのケンブリッジやオックスフォードなどの有名大学や、アメリカの国費を使った奨学金プログラムの学生が、台湾にやってきているという。

アメリカの大学の中には、中国の大学との提携関係を解消して、台湾で中国語の研修を行うところも出てきた。アメリカの名門、ハーバード大学もそのひとつだ。

同大学に付属する北京アカデミーは夏期休暇中、学生60人を対象に８週間かけて北京で中国語プログラムを行ってきた。しかし２０２２年から台湾に移転すると正式に発表し、波紋を広げた。

ハーバード大学は、中国の語学教育の中心である北京語言大学と提携関係を結び、これまで17年間にわたって毎年60人の学生を送ってきた。語学だけでなく、北京での文化体験もさせてきた。中国とアメリカの友情のメッセンジャーを育成するため、双方の大学が共同で設立したプログラムだった。

ハーバード大学が台湾で語学研修を行う理由

中国留学をやめたのは、ハーバード大学の声明によれば「中国の親しみやすさの欠如」が原因だという。

「親しみやすさの欠如」というのは、2019年の7月4日に起きたことに起因する。

この日はアメリカ独立記念日だ。この記念日を祝おうとしたアメリカ人留学生に対して、大学側がパーティーを開かせず、教室や寮へのアクセスを制限したという。

北京語言大学側は「われわれは、学校の敷地内で活動を行う学生の活動を全面的に支援しているが、7月4日の祝賀会については騒音苦情があったので、やめさせた」としている。

どちらが本当なのか私には判断が付かないものの、アメリカ人留学生をめぐるトラブルがあったのは間違いない。通常この程度のトラブルなら、学校の担当者同士が話し合えば済みそうだが、そういかず大事になるところに、最近の米中間の緊張関係がうかがえる。

ハーバード大学が中国語プログラムの実施場所を中国から台湾に変更したニュースについて、中国政府がさっそく反発した。

中国外務省のスポークスマンで、こわもての発言で知られる趙立堅は定期記者会見で、「事情を把握していない」とする一方、「人文交流を政治問題化するやり方に反対する」「外国の留学生が中国に来て勉強や研修をすることを一貫して歓迎し、留学生の合法的な権利を守ることを高度に重視してきた」と強調してみせたが、欧米の留学生の中国離れは、今後拍車がかかりそうな雲行きだ。

台湾のアメリカ人留学生受け入れは毎年1万人以上

台湾の教育省によると、すでに台湾の10大学が、アメリカの21大学と中国語教育パートナーシップを結んでいる。毎年1万人以上の留学生が学んでいるという。

そして、台湾の次のような点を積極的にアピールしている。

台湾に留学すれば、中国大陸のような簡体字ではなく、伝統のある繁体字を学ぶことができる。孔子と孟子についても学べる。台湾の人々はとても親切。旅行する場所が豊富。食べ物も素晴らしい――。もちろん台湾にも、心配なことはある。台湾有事になったらどうなるのか。大地震が起きる可能性も否定できないが、世界に完全に安全な場所はないだろう。

台湾の民進党所属の有力議員である呉思瑶は、台湾のテレビの取材に対して、「欧米の国々は孔子学院を閉鎖している。彼らはもはや中国を受け入れることができない。中国は、中国語教育を隠れみのに中国共産党のイデオロギーの普及を図っている。欧米は、この種の教育を望んでいない。台湾はこの機会をとらえ、国際教育の分野で自分たちのためのスペースを作るべきだ」と語っている。

台湾の私立大学の中で最も歴史のある淡江大学（台北市ほか）は、アメリカからの留学生を積極的に受け入れている。同大中国語センター主任の周湘華によると、国防総省と国家安全保障教育局、国務省重要言語奨学金（CLS）プログラム、国防総省の予備役クラスの学生を受け入れ、中国語講座を開いてきた。２０２２年はさらに、アメリカ国務省教育文化局による中高生向けプログラムの学生10人が台湾を訪れたという。

中国と対立しているインドでも中国語への需要が高まっている。こういった動きを受けて、台湾の７つの大学によって構成されるグループ「台湾教育大学系統」は、インドから３年間で３０００人の留学生を受け入れるプロジェクトに着手した。

台湾は授業料が安く、安心、奨学金も充実とPR

日本の留学希望者と台湾の大学を結ぶ「日本台湾教育センター」が日本の法政大学の中にある。台湾教育省の外郭団体で、半民半官の組織だ。ここで働く郭艶娜に、台湾留学について聞いてみた。

コロナで最近の2、3年、ほかの国は留学ビザを発行しない国が多かったのですが、台湾は、海外からの学生に対する隔離を慎重に行いながら、留学ビザは一切止めなかったんです。大学生たちは、入国後の隔離期間中でもオンラインで授業を受けていました。

コロナ対策と言えば、デジタル担当大臣のオードリー・タンさんがとても有名です。台湾では毎日、記者会見を開いて感染状況を公表してきました。そのため、学生のみなさんも安心しているのではないかと思います。

あと台湾の大学は寮が安いのも魅力なんです。日本人から見ると物足りない部分もあるでしょう。4人、6人の相部屋という寮ですからね。日本人の学生は清潔好きです。台湾の私立大学は、日本からの留学生を意識して、一生懸命リフォームしたり、新しい寮を作ったりしています。ですから最近は、とてもおしゃれになっているんですよ。もうひとつは日本に比べて学費が安いことです。日本の約半分で済むこともあります。何より民主主義ですから生活が安定しています。

奨学金に魅力を感じる人もいるようです。返済が必要ないものがたくさんありますよ。

台湾教育省は「台湾華語文奨学金」「台湾奨学金」を設け、外国人留学生や中国語の短期学習のために来台する人に提供しています。

オール英語のコースもあり、中国語と同時に学べる

それに台湾では授業が全部英語のコースも受けられるんです。かなり多くの大学が、こういうコースを用意しています。ですから台湾に来れば、中国語だけでなく英語も同時に習得できます。このコースを選ぶ日本の学生も最近けっこう多いんです。

日本人学生に人気なのは、文系の学科ですね。企業管理とか貿易。最近は観光、デザインを専攻する人もいます。

実は日本人と同じで、台湾人もアメリカに留学に行きたいんですよ。お金のある人は、自分で大学を探し、アメリカに行きます。それが難しい人のために、台湾の大学も交換留学制度を持っています。ですから台湾で留学中に、さらにアメリカやオーストラリアに海外留学するチャンスがあり、実際にそうやって、台湾の大学を経由してアメリカに行った日本の学生もいます。

最近は日本の高校から、私たちに直接声がかかります。台湾の大学と提携したい。優秀な卒業生を推薦するので、台湾の大学から奨学金をもらえないか、というものです。

最近も大阪のある女子高が、台湾の大学と提携関係を結びました。学校推薦は1人だけですが、ほかにも入りたい人がいたら、自費留学を受け入れることになっています。日本でしっかり勉強しようとしても、どうしても中国語を使うチャンスは多くありません。台湾は9月入学です。3月に日本の高校を卒業して台湾に渡り、4月から現地の大学に設置された中国語センターでみっちり半年をかけて中国語を学ぶという流れです。半年勉強しておけば、入学する時にはだいたい、先生が何を言ってるか分かるようになります。やっぱり若いから進歩が速いんですね。やる気もありますしね（郭）。

中国のつまずきに瞬時に反応して動く台湾。台湾海峡を挟んで対立する中台は、中国語教育をめぐっても激しく競っている。

第4章
英語が変える世界と日本

英語が強くなった理由は英国、米国の国力だった

アメリカの衰退が叫ばれる中、英語の圧倒的な地位は変化するのだろうか。そもそも英語が世界語の地位を占めたのは、アメリカとイギリスの国際的な地位に関係している。それぞれ近現代史における最強の国だったからだ。

イギリスは島国の利点を生かしつつ、世界中に植民地をつくった。「この帝国が統治する人の数は、世界人口のおよそ四分の一に及び、その面積は、地球の陸地表面の、ほぼ四分の一を占め、その海洋支配は、ほとんどすべての海に及んだ」（『大英帝国の歴史（上）膨張への軌跡』ニーアル・ファーガソン著、山本文史訳、中央公論新社）

アメリカは20世紀初めには、まだひとつの新興勢力に過ぎなかった。しかし第1次世界大戦、第2次世界大戦への参戦などで影響力を高め、ソ連の崩壊後は、事実上、唯一のスーパーパワーとなった。「世界の警察官」の役割を果たしてきたのは間違いない。

2001年に起きたアメリカ同時多発テロをきっかけとした「テロとの戦い」以降、アメリカは衰退もささやかれている。アメリカの国際社会での地位がどうなるかは、今後の

英語のパワーを占うことになるだろう。

アメリカでも、中国語習得への関心が高まっていたことは第1章で紹介した。２０１５年には、中国語を学ぶ生徒・学生の数は過去2年間で倍増したと報じられた。米中関係が今ほど緊張しなければ、中国語学習者は、その後も順調に増えていたに違いない。

ただ、英語は依然として学術面やビジネスで最も使える幅が広い。新型コロナウイルスの世界的流行の中、安い人件費でオンライン教育市場を席巻するフィリピン、英語をメインとしたイギリス式教育を輸出するイギリス、そして変わりつつある日本の英語教育の現場を訪ねた。

アジアの英語強国、フィリピンは国民の9割が英語を話す

私の息子は、前述したように中国資本によるオンライン英会話教室を受講している。息子の名前で登録しているが、ひとつのアカウントで大人の私も受けることができる。息子は初級クラスだが、私は会話重視の大人向けの内容のクラスだ。契約内容は、向こう2年間で200時間という気の遠くなるような長さだが、受講料先払いが原則の中国では、こうい

う長期契約が普通だ。

講師はフィリピン人。みなフレンドリーで学びやすい。もちろん、ややなまりを感じる人もいるが、語彙力も豊富で、実際の生活で英語を使っていることが分かる。

フィリピンの人口は約1億人で、そのうち9割以上が英語を話せると言われている。

1898年から約50年間、フィリピンはアメリカの植民地だった。植民地時代に、小学校から大学までの授業はすべて英語で行われており、英語との関係が深まった。

植民地時代が終わり、1946年にフィリピンは独立したが、1974年に教育省令25号「フィリピン語と英語による2言語併用教育政策」が出され、フィリピンの公用語のひとつとして英語が加えられた。

フィリピンには約80の現地語があるが、多くのフィリピン人は、小学校から大学まで、タガログ語・歴史以外の授業はすべて英語で受ける。英語を学ぶだけでなく、ほかの科目も「英語で学ぶ」を実践していることが、英語力向上に役立っている。

日本をはるかに上回る英語の実務能力

フィリピン人の高い英語力は、各種の英語試験の結果から読み取れる。スウェーデン生まれで、世界最大級の国際教育機関であるＥＦ・エデュケーション・ファーストが発表した２０２１年版「ＥＦ ＥＰＩ英語能力指数」でアジア地域の順位を見ると、シンガポールが４位でトップだった。シンガポールは徹底した英語教育で知られ、英語の実力は常にアジアトップの座を占めている。

続いて18位のフィリピンと28位のマレーシアが続き、英語レベルはともに「高い」と分類されている。「高い」英語力とは、「仕事に関連して、英語によるプレゼンテーションを行うことができる」といったレベルを指す。

この数字はＥＦがオンラインで無料提供している英語力測定テスト「ＥＦ ＳＥＴ」の結果をもとにしている。２０２１年度は世界112か国・地域で約200万人がＥＦ ＳＥＴを受験したという。

日本の順位も気になるが、２０２１年の順位は前年の100か国・地域中55位から大きく下がり、112か国・地域中78位となった。残念ながら調査開始以降初めて、下位3分の1のグループに属す結果となった。

日本の英語レベルは「低い」グループに属している。これは、「同僚とスモールトーク（ちょっとした雑談）ができる」水準だという。実態をほぼ反映していると言っていいだろう。

ＴＯＥＦＬの日本の成績はＯＥＣＤ加盟国中、何と最下位

日本でもおなじみの英語テストであるＴＯＥＦＬ ｉＢＴ。このスコアは、海外留学や国内での大学進学の際の、英語力の目安として使われる。

日本の文部科学省が作成した各国の成績比較表を見ると、２０１９年、フィリピンでの受験者の成績は120点中88点で、アジアの35か国・地域中7番目に高かった。日本は27番目で、韓国、中国、タイ、カンボジアにもかなわなかった。

同じテストを、ＯＥＣＤ加盟国で比較すると、もっと驚く結果になる。欧州の国がほとんど90点台なのに比べ、日本の成績は最下位の72点、トルコ、チリよりも劣っていた。

もちろん、国によって受験者数やレベルが違っている。国によっては、エリート層しか

図8　わが国のTOEFL iBT平均スコアは諸外国の中で最下位クラス

日本人は英語が苦手とされるが、国際英語テストの結果を比較すると、日本の点数は低開発国並みの低さだ。お隣の韓国にも負けてしまった。

■ TOEFL iBT　合計スコア平均（OECD加盟国）

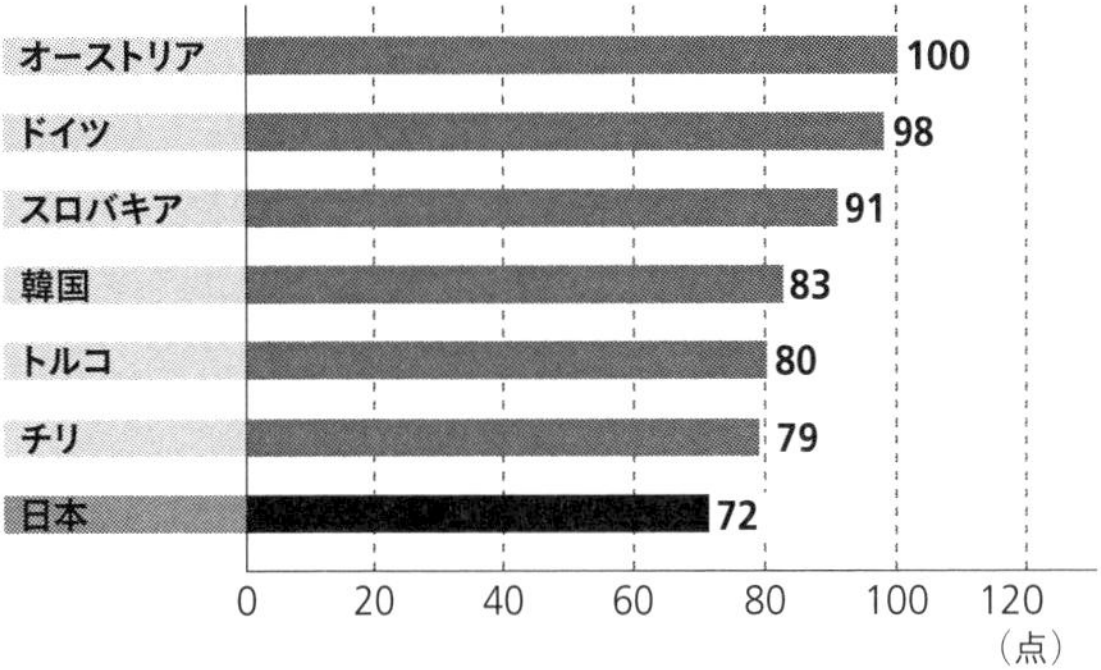

■ TOEFL iBT　合計スコア平均（アジア）

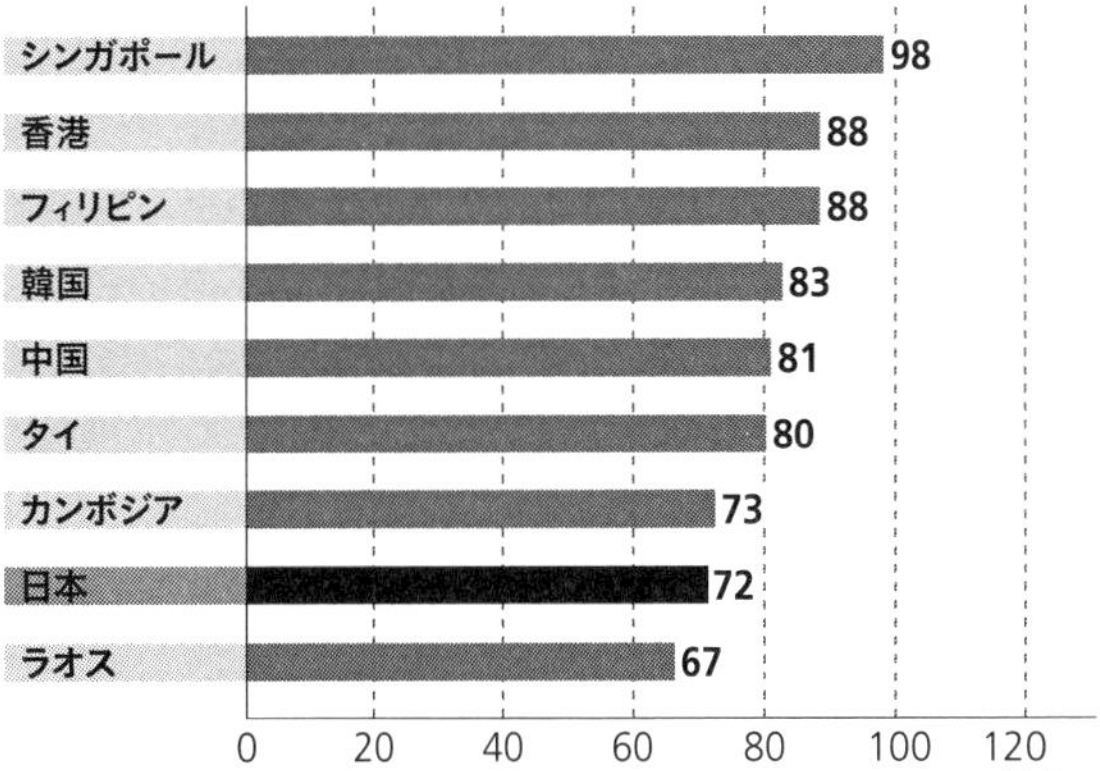

上下ともTOEFL公表のデータから文科省が独自作成した

受けない国もあるはずだ。そのため単純比較はできず、ＴＯＥＦＬを主催する団体も、わざわざ「国ごとに点数比較をしてはいけない」と注意しているほどだ。

それにもかかわらず、教育行政を司る文科省が国際的な比較表を作成し、発表したのは、なかなか上がらない日本人の英語力に焦りを感じているからだろう。

コールセンターが林立するフィリピン

マニラのビジネス街には「ＡＴ＆Ｔ」「ＤＥＬＬ」「Ｃｉｔｉｂａｎｋ」「ＩＢＭ」などの名だたる企業が24時間対応のコールセンターを構えている。フィリピンは英語の国。そのため英語を生かしたコールセンターが中心産業のひとつとなっている。以前は大企業のコールセンターはインドに置かれていたが、現在はフィリピンにシフトしている。

100万人以上のフィリピン人がコールセンターで雇用されているという統計もある。インドを抜いた理由は、フィリピンは人件費が安い、一般的になまりのないアメリカ式英語を使う、フレンドリーな国民性で、顧客対応に優れている、などだ。

フィリピンは海外での出稼ぎ労働者が、全人口の１割を占めるとも言われる。出稼ぎ労働者が稼げるのは、英語の恩恵が大きい。

世界銀行によるとフィリピンが海外で働く人から受け取る送金額は、インドや中国、メキシコに次いで世界4番目の規模となるという。具体的な送金額を、フィリピン中央銀行が発表している。

２０２１年の場合、在外フィリピン人の本国への送金額は前年比５・１％増の349億ドルにのぼった。２０１９年（335億ドル）を上回り過去最高額となった。

２０２１年の海外送金が、同国の国内総生産（ＧＤＰ）に占める割合は８・９％にもなり、母国の家族の生活を支えている。

英語は話せるのに複雑な思考は苦手という意外な結果

多くの国民が「使える英語」を話すフィリピン。英語は仕事に直結しているが、最近意外な問題が分かってきた。国際的に学力を比較するために行われるテスト、ＰＩＳＡ（国際学習到達度調査）で、フィリピンの受験生の点数が極端に低かったのだ。フィリピンはこのテストに２０１８年から参加している。

PISAの対象は15歳。読解力、数学的リテラシー（リテラシーは知識や能力を活用する力の意味）、科学的リテラシーの3分野で、各国の公用語で行われる。フィリピンでは、この試験は公用語のひとつである英語で行われた。

ところが、数学的リテラシーと科学的リテラシーの成績が、参加79か国中78位。つまり下から2番目だった。読解力に至っては最下位という結果だった。英語力に優れているはずなのに、なぜだろう。

それを考えるカギはフィリピンで話されている約80の言語の存在だ。公用語はタガログ語と英語だ。現地語のひとつであるタガログ語は英語に構造が似ており英語学習に有利とも言われるが、現地語で意志疎通する子どもたちは、小学校から初めて英語を学ぶ。

算数や理科といった科目を、英語で教えることをイマージョン教育といい、英語力が飛躍的に向上するとされる。フィリピンでも実践されている。ただ、第1言語の習得も不十分なままイマージョン教育を行うと、双方の言語とも低いレベルにとどまるとも言われる。さらにフィリピンでは特に公立の学校で教員不足が深刻で、イマージョン教育のメリットを生かし切れていないようだ。

フィリピンで販売される本は基本的に英語で書かれているものの、値段も高いため貧困層には手が届かない。

フィリピンのPISAでの極端な不振は、さまざまに分析されている。貧困層の子どもたちは学校では英語を使っていたとしても、学校の外で英語を使用する機会がほとんどないため、読解力が低いのではないかとの指摘もある。

英語は確かに仕事を生み出すものの、その国全体としての発展には必ずしも寄与しないケースがあるということを教えてくれる。フィリピンの教育省は、PISAの意外な不振を受けて、授業内容の改善に乗り出しているという。

オンライン英会話教室の中心地でもある観光地セブ島

フィリピンは日本にとって英語留学の大人気の国でもある。日本に近く、比較的安く学べるからだ。中でも観光地として知られるセブ島には、韓国系、日系の語学学校が林立する。中にはスパルタ式と呼ばれ、毎日学校に缶詰になって学ぶ方式の学校もある。学校内の施設に宿泊し、食事も、息抜きも基本的に学内で行って、英語を集中特訓する。

日系大手のＱＱイングリッシュ（本社・東京都渋谷区、藤岡頼光《ふじおからいこう》代表取締役）も、セブ島に学校を持ち、オンライン授業を並行して展開していた。将来の留学や英語の検定試験の準備のためや、「ボケ防止に」と仕事をリタイヤしてから、入学してくる年配者もいた。

代表取締役の藤岡頼光がオンライン英会話に取り組んだのは２００９年。自分が手がけていたバイクの輸入業に英語が必要だったことから発想した。フィリピンでも、セブ島は美しいビーチで知られるリゾート地で、イメージがいい。インターネット通話ソフトのスカイプを授業に使うことにした。会社のロゴは自分でデザインした。

英語の教材は、１人の先生が多くの生徒に教えることを前提にしている。このため１対１の会話の中で効率よく学べるよう、教科書を独自に開発した。オンライン英会話教室は、中国が先行し教材の開発力もある。ＱＱイングリッシュも、彼らのノウハウを研究し、授業に取り入れた。７人の教師、生徒25人で始めた英会話学校は、教師が１３００人、年間６０００人が学びに訪れるフィリピン最大の英会話学校へと成長した。

藤岡は、「10万人の雇用をフィリピンに生み出し、年商１０００億円の世界最大の英会話学校を作る」ことを目指した。

１０００人近い教師が泊まり込んでオンライン授業

ところが、コロナ禍で状況は一転する。

フィリピン政府は２０２２年３月、全土に緊急事態宣言を発令した。ＱＱイングリッシュも、セブ島校舎での授業と留学生受け入れを一時停止した。

当時、約500人の留学生が来ていたが、順次帰国してもらい、希望に応じて授業料の返金や、オンライン授業に切り替えた。事業を継続するには、学校の収入をオンライン事業で補わなければならない。

オンライン授業を続けるのは簡単ではなかった。コロナ前に確保していた宿泊設備700人分を削減、オフィスも一部を手放した。いずれも経費削減のためだ。

フィリピン人の先生たちにお願いし、生徒向けの宿泊施設に泊まり込んでもらった。厳しいロックダウンで外出が難しく、いったん外に出ると感染の危険もあるためだ。家族と離れ離れになるが、教師の方から「海外に出稼ぎに行ったつもりで働く」と、宿泊希望が相次いだという。

藤岡も、先生たちと泊まり込んだ。そんな集団生活が、かれこれ２年も続いたという。オンライン授業の需要に応えるために、こんな努力が続けられていた。

藤岡は、こう振り返る。

「１０００人近い先生が一緒に暮らしてみると、それだけ知恵も集まるわけです。教え方のうまい先生から、別の先生がアドバイスを受け、技術が上がる。すごい違いが出てきました。われわれ日本人スタッフも一緒に成長しました」

オンとオフをつなぐ新たな留学スタイルを模索

コロナ禍で、多くの人が在宅を強いられたこともあり、ＱＱイングリッシュのオンライン事業は以前の３倍に急成長した。オンラインでも実際のセブ島での授業の内容が、そのまま再現できたのは驚きだった。

ただオンラインだけでは、英語学習のモチベーション維持が難しい。やはり、学校で、しかも対面で学ぶというリアル授業の重要性も感じられたという。

藤岡は、今、もっとセブ留学を手軽にしようと考えている。「オンラインはあくまで入り口。実際にセブに来て、実際に教えてもらっていた先生と会って、さらに力をつけてほしい」と呼びかけている。つまり、オンラインとオフラインを一体化するスタイルだ。

フィリピン留学は、1か月ほど滞在するのが一般的だ。日本からも近いので、夏休みや冬休みをフルに使う人が多い。より短期の留学コースを用意すれば、もっと生徒が来てくれるのではないか。オンライン授業で学んだら、その成果をより高めるためにセブ島で学ぶ。帰国後はまた、オンラインで勉強を続けてもらう。

日程は3泊4日から用意した。宿泊費を抑える狙いから宿舎をカプセルホテル風に改造し、コンパクトにした。どの学校もやったことのない取り組みだ。

フィリピンと日本の未来

話を聞いている途中で藤岡は、「フィリピンの現在の状況っていうのは、未来の日本に重なるような気もします」ともらした。

フィリピンは一人ひとりの英語力は高いのに、国全体としては混乱、貧困が目立つ。英語力が、国の発展に必ずしもつながっていないように感じられる。

フィリピンでは富裕層と中間層の家庭は、懸命になって子どもに英語を学ばせる。英語ができないと将来困るのは誰でも分かっている。

中間層以上が行く学校は、英語以外の言葉を喋《しゃべ》るとペナルティとして１ペソ（約２・５円）取るという厳しいルールを持つところもある。英語を自由に話せるようになれば、コールセンターや、外資系企業、さらには海外での仕事が見つかる。豊かさが約束される。

貧困層の学校は、英語にそれほどこだわらない。生徒たちも学校に行かずに、働きに出されることがある。

道端で花を売ったり、ゴミ捨て場で収集車が来るのを待ち、使えそうなゴミを拾い集めて金に換えたりする。親が働けと命令するので、授業に行かなくなる。

単純化しすぎているかもしれないが、英語教育が、むしろ国の分断や格差を助長しているようにも感じられる。

セブ島を中心に貧困層の子どもたちの教育支援活動を行っている、ＮＰＯ法人ＤＡＲＥ ＤＥＭＯ ＨＥＲＯ理事長の内山順子《うちやまじゅんこ》は、フィリピンが抱えるさまざまな矛盾を毎日のように感じるという。

「大学を出て英語をかなり完璧に話せても、給料は月３万円がせいぜい。もし英語が話せなければごく簡単な仕事しか見つかりません」

中華系を中心とした富裕層は子どもをインターナショナルスクールに通わせ、英語にたくさんの時間と金をかけているが、貧困層の子どもたちは生きていくのが精一杯だ。ＤＡＲＥＤＥＭＯ　ＨＥＲＯはそういった子どもたちの教育の底上げをし、やる気のある子には奨学金を出し、夢の実現まで手助けしている。

英語で見えてくる世界の課題

日本からも大学生がインターンとして手伝いに来てくれるが、現地で、これまで長年学んできたはずの英語が通じないことに愕然《がくぜん》とするという。

「英語は受験の教科ではないんです」と内山は力を込める。「日本にずうっととどまるのなら英語は要らないかもしれませんが、英語でコミュニケーションができれば、世界が抱える問題が見えてきて、解決のために動けるようになります」

藤岡も、内山のＮＰＯ法人にＱＱイングリッシュの英語講師を派遣し、協力している。

藤岡は、「英語が話せるようになると人生が変わります。私自身も英語を学び世界への扉を開くことができました」と、ホームページに自分の想いを書いている。

その一方で、「日本人が英語を本当に喋れるようになれば、日本は経済的に復活するのでしょうか。いやいや、その分優秀な日本人が海外に流出してしまうだけで、日本は何にも豊かにならないのかもしれません」とも話した。

フィリピンをよく知る藤岡の心配が現実のものになるのか、まだ先は見えない。

イギリス生き残りのカギは「教育産業」だった

国民的な議論の末、欧州連合（EU）を脱退したイギリス。経済的な孤立を危ぶむ声も強く、生き残りのため、外国語教育の必要性も叫ばれている。しかし、イギリス式教育は時代を超えて根強い人気を集めている。

留学生の受け入れや、英語のトレーニングなどのイギリスの教育は２０１６年に、本国に約200億ポンドをもたらした。数字が大きすぎ、ピンとこないが、２０１０年以降、この利益は毎年26％ずつ増加しているという。

ダミアン・ハインズ教育大臣が２０１９年に発表したもので、イギリス政府のホームページに細かな数字が掲載されている。

教育の中でも次のように、高等教育と、海外を舞台とした教育がパワーを持っている。

●高等教育　134億ポンド
●教育輸出と国際教育　19億ポンド
●教育関連の製品とサービス　19億ポンド
●英語トレーニングコース　16億ポンド
●私立学校　９億ポンド

ハインズ教育大臣によれば、教育部門の世界的リーダーとしてイギリスは存在感を強めている。イギリスは英語トレーニングの留学先として最も人気があり、市場全体の約45％を占めている。

中でも海外から来てくれる留学生は、経済的にも文化的にもイギリスに多大な貢献をしている。高等教育統計局の数値によると、2017～2018年にイギリスの高等教育機関に入った留学生の数は、前年比5％増と、過去最高となっている。

これらの学生は、2016年の授業料と生活費でイギリス経済に推定119億ポンドの貢献をしたという。同局によれば、2021年には、EU以外の留学生総数の32％が中国から来ていた。数では約14万人だった。中国人留学生への監視が強まるアメリカを避け、イギリスを目指すケースが増えているという。

ハインズは「イギリスは常に世界クラスの教育を提供している」と胸を張る一方で、今後は、留学生の受け入れだけでなく教育関連テクノロジーの開発などで成長を図る、と明らかにしている。

教育ガラパゴスの日本に続々進出するパブリックスクール

2020年からのコロナ禍で、イギリスへの留学生は激減した。その代わりにイギリスの教育界は学校ごと海外に進出し始めている。ターゲットは教育熱心なアジアの国々だ。

イギリスの名門パブリックスクールが、日本に上陸する動きも盛んだ。

イギリス首相を務めたチャーチルやインド初代首相ネルーらが学んだハロウスクール。その日本校であるハロウインターナショナルスクール安比ジャパンが２０２２年、岩手県八幡平市の安比高原にできた。日本の小学６年生〜高校３年生に相当する男女を全世界から受け入れる。日本で最大規模の全寮制インターナショナルスクールとなる。

ハロウスクールと密接な関係がある教育機関は、アジアではハロウ安比を除くと24校ある。そのうち９校が、中国に集中している。北京や上海などの大都市だ。ここでバイリンガル教育を行っており、日本には初進出となる。

日本校校長のミック・ファーリーはブリティッシュ・スクール・イン・トウキョウや、ハロウバンコク校の校長を経験したベテランで、２０２１年にハロウ安比の校長に選ばれた。学校施設の設計、カリキュラム設計管理、教育管理、教育リーダーシップのエキスパートだという。学校案内で「ハロウの抜きん出た教育水準と全寮制による親密な指導を安比高原の美しい自然の中で行えば、必ず素晴らしい学校になります」と述べている。

授業料や寮費などを含めて、学費は年間１０００万円近くと、かなりな額だが、予定通り生徒が集まり、２０２２年８月に入学式が行われた。世界12か国から180人が入学した。

このほか、ラグビー発祥の地として知られるラグビースクールは２０２３年、千葉県柏市の千葉大学柏の葉キャンパス内に開校を目指している。小学６年生～高校３年生にあたる男女が対象で通学または寄宿生活をしつつ学ぶ予定だという。

こういった動きに刺激され、国際バカロレア（ＩＢ）という世界共通の教育を取り入れた全寮制の学校も、長野や広島、愛知に開校している。国際バカロレアはこの章の後半で紹介する。

日本の教育基本法には、教育の目的を「心身ともに健康な国民の育成を期」す、と書いてある。善良な日本国民の育成を目指しているのだろうが、すでに教育現場は日本国内だけを意識するガラパゴス的思考から抜け出し、国際的に通用する人材の育成に走り出している。

子どもを育てるのは寮長のサポートがカギ

注目を集めているハロウスクールのオンライン説明会に参加してみた。自分にも小学生の子どもがいるので、人ごとではない。学費を考えれば入学させるのは無理だが、説明会だけならいいだろう。

実際、びくびくしながら参加してみると、学校の副校長に加え、寮（ハウス）の責任者である寮長が参加して入学希望者からの質問に丁寧に答えていた。寮長は、生徒と同じ寮の中に住み、親代わりになる。日本の教育システムでは、なかなか出会えない存在だろう。

女子寮の寮長は、バンコクのハロウ校を含め28年間の寮長経験を持つ女性、エリザベス・ハモンドだった。16歳の時に警察官になったが、仕事柄学校と接触することが多く、教育業界に関心を持って転職したという。「24時間、朝も夜もサポートすることを楽しんでいる」と語った。笑顔を絶やさない、包容力を感じさせる話しぶりだった。

男子寮の寮長は、この時オーストラリア在住で、13年の教育経験がある男性、アンドリュー・バドニックだった。人間運動科学と教育を専攻し、教育学（リーダーシップとマネージメント）の修士号も持っている。「寮での生活は、子どもにとって大きなステップになります。一生の友達を見つけるのが寮生活の魅力です。全力で支えたい」と生真面目な表情で語った。

オンラインで参加していた父母からの質問は、子どもたちの生活に集中していた。教育内容は、資料などでだいたい分かっても、実際子どもたちがどんな環境で生活するのか不安なのだろう。

説明会で寄せられた質問をいくつかメモした。主に、この2人の寮長が質問に答えていた。

さっそく「もし子どもたちが病気になったらどう対応するのか」という質問が出た。

学校側は「学校の中には日本人で日英の看護師資格を持つ人が住んでいます。歴史担当教師の奥さんで、バイリンガルです。頭痛や腹痛、また何か怪我があった際の対応なんですけれども、まず、キャンパス内で対応できるものに関しましては、24時間対応します」と説明していた。よく聞かれるらしく、テキパキとした受け答えだった。

病気によっては病院に行く必要も出てくるため、常に生徒を病院に搬送できるような体制を整えているとの説明だった。また新型コロナウイルス感染の心配があることから、発症したらどうなるか、どのようなルールを作るべきなのかという詳細を現在詰めている、と説明した。

本当のターゲットは中国人の子ども？

多感な時期に、男女が寮生活することについての質問もあった。親元から離れることによるホームシックが最も起こりやすいが、生徒間の恋愛感情が発展して、トラブルになる可能性があるかもしれない。親として当然の心配だろう。

それに対して学校側は、男女の寮は別々であり、セキュリティもしっかり施されているので「安心して楽しく快適に過ごせます」と強調した。その上で、「服装をはじめ、社会の中でどのように人間関係を作っていけばいいのかなど、生活に欠かせないスキルを学べるような授業もあります」と答えていた。

説明会に参加していたハロウの副校長は、「いつでもどんな質問でもオープンにできる関係性を子どもたちと築いていきます。自分の感情が分からなくなったり、誰かに好意を持った時に、いつでもガイドし、個人個人に合ったサポートを寮長がしてくださいます」と語っていた。

この説明会は、繰り返し開かれているが、中国語で通訳される回もあった。日本語の回とほぼ同じ内容だが、中国語圏からの生徒獲得を意識していることが伝わってくる。

中国では、教育政策が突然変わってしまうことがある。日本なら距離的に近い上、社会も安定しているので子どもを送っても安心という思いが、中国人の富裕層にはある。

さいたま市はなぜ、3回連続中学校の英語力日本一になったのか

英語は、一般の日本国籍の子どもにとって必要か、必要でないのか。いつから教えるのが正解なのか。

このテーマだけでも、何冊も本が書けそうだが、子どもに即戦力となる英語力をつけさせたいという保護者の思いは年々強くなっている。少なくとも私はそうだ。効果があるのか、副作用が大きいのか悩んでいる暇はない。私の息子には英語の塾に通わせ、オンラインでも勉強させている。時々、私も一緒に勉強するが、塾の英語の教科書には、息子が日常的に使っているレベルの日本語よりも、はるかに抽象的で高度な単語が含まれている。これでいいのか、時々考えさせられる。

公立の小学校での英語の学習は3、4年生は「外国語活動」として、5、6年生は教科

図9　さいたま市立小学校の年間英語授業時間

「英語教育先進市」として全国から注目を浴びる埼玉県さいたま市では、１年生から６年生まで英語に多くの時間を割き、成果を挙げている。

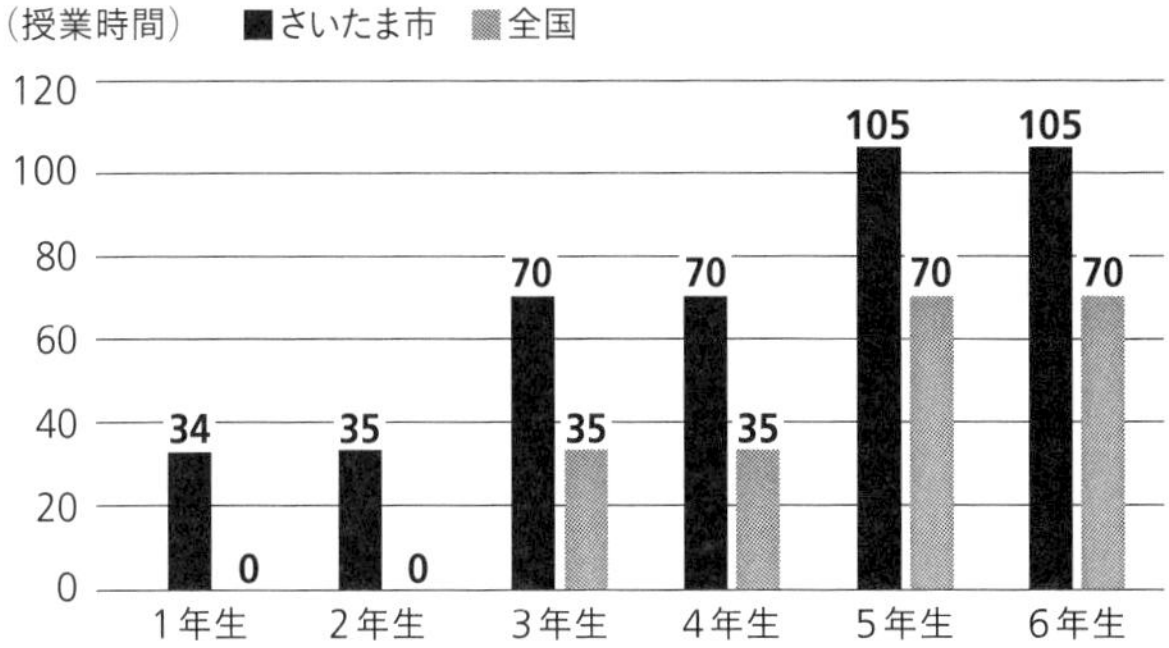

さいたま市ホームページより

「外国語」として、２０２０年から正式に導入された。

私が住んでいるのは、埼玉県にある政令指定都市、さいたま市だ。小学5年生となった私の息子も、地元の市立小学校で英語の授業を受け始めた。

さいたま市では「GS（グローバル・スタディ）」という名前になっている。そのさいたま市の中学３年生段階の英語力が、文部科学省のまとめで21年度まで３回連続の全国１位になったという。新聞でも大きく報道され、テレビでもニュースになった。

何が１位なのかというと、文科省が毎年12月に全国の公立小中高校の児童・生徒を対象に行っている「英語教育実施状況調査」の結果だ。

その前に、政府が目標としている英語力についてちょっと説明しておこう。中学生については、中学校卒業の時点で英検３級相当以上が50％いること。高校生については、高校卒業段階で英検準２級相当以上が50％いることだ。英検が目安となっているが、ペーパーテストだけではなく、スピーキング力も加味されている。

今回の調査では、この水準の英語力に達している割合は全国平均が中学生で47・０％、高校生で46・１％だった。目標をやや下回ったものの、２０１１年以降、全国的に上昇傾向にある。

都道府県・政令指定都市別に見ると、中学生の英語力ではさいたま市が1位、高校生の1位は福井県だった。福井県はもともと教育に力を入れており、学力の高さで知られているが、さいたま市が中学生ではトップというのはやや意外だった。

これは現在進行形の体験者である息子に聞かねばならない。

全国の小中学校より英語に時間を多くかける

息子の小学校の成績表は、ＡＢＣの３段階評価になっている。Ｂがたくさん並んでいて輝きは今ひとつだが、ひとつだけすべてＡなのが英語だ。間違いなく英語が好きで、自分でもユーチューブなどで簡単な英語の動画などを見ている。

学校の英語の授業については「楽しい」という。どこが楽しいのか教えてと何回か聞いてみたが、あまり要領を得た答えが返ってこなかった。

「週に３回あるんだけどね。まず今日の天気をどう言うか。雨が降っている。晴れている。曇っているとか、いろいろな表現を使ってみる。それから英語で読んだり、書いたり、歌ったりするから、飽きない。英語を話す機会もたくさんある」ということだった。

確かに、ほかの自治体の学校で英語の授業を受けていれば比較もできるだろうが、本人にとっては初めての英語授業だ。内容を評価しろと言っても無理かもしれない。

小学校の英語教育は、２０２０年の春から全国で実施された。さいたま市が「ＧＳ《ジーエス》」とも呼ぶ「グローバル・スタディ」を市立の小・中学校で試験的に始めたのは、これに先立つ２０１６年の春からだった。

特徴は学習時間の多さだ。文科省が対象としていない小学生１年生から年間34時間の英語の授業が始まる。小学６年生では年間105時間と、全国平均よりも年間35時間多く英語の授業が行われる。

中学生になると、英語の授業時間の全国平均は年間140時間に増えるが、さいたま市はさらに平均を17時間上回り、年間157時間となる。

「練りに練った」副読本、私立学校顔負けのイベントが力を伸ばす

もちろん、時間をかけることも語学教育では欠かせない要素だ。しかし実際に外国語を使えるようにするために重要なのは、アウトプットだろう。手で書き、口で話して、コミュニケーションをとることだ。

さいたま市の場合、小学１～４年生では担任教師と外国語指導助手（略称ＡＬＴ）、５、６年生は担任教師とグローバル・スタディ科非常勤講師（日本人）、または英語の専科教員（日本人）を配置するなど、指導体制を充実させている。

英語ネイティブである外国語指導助手は、さいたま市が独自に採用した人たちで、計145人（2021年度）いる。アメリカ、オーストラリア、フィリピンなど国籍はさまざまだ。コミュニケーション力の育成を目的に、5～6年生を対象に「英語劇発表会」を開き、中学生では自分の意見を英語で伝え合う「英語ディベート大会」を行っている。2021年度のディベートのテーマは「学校給食の食べ残しの量によって、クラスごとの給食配分量を変えるべきか」。どの学校でも問題になりそうであり、考えさせられるテーマだった。夏休みには小・中学生を対象とした2泊3日の「イングリッシュ・キャンプ」が実施される。外国語指導助手と一日中一緒に過ごして、学んだ英語を存分に使う。各種イベントは新型コロナウイルスの影響で、開けなかったこともあるが、こういった私立学校顔負けの積極的な取り組みが、効果を挙げているのは間違いない。

さいたま市の切り札、キラーコンテンツは、何と言っても独自にまとめた英語教材のテキストだ。

文部科学省が定めた教科書はもちろん使うが、さいたま市が作り上げたこの教材テキスト（副読本）小学校編は1、2年生用（24ページ）、3、4年生用（56ページ）、5、6年生用

（104ページ）とけっこうなボリュームだ。小学1、2年生用では、英語に慣れ親しむことができるよう、イラストをふんだんに使っている。

5、6年生では、実際の生活の場面に即した英語を学べることに主眼が置かれている。中学校では、身近な話題をテーマにした読み物が用意されている。

独自のテキストで教師の負担軽減

さいたま市教育委員会で、英語教育を担当する国際教育係長の猪鼻孝之《いのはなたかゆき》に話を聞いた。市役所の敷地の一角にある市教委の建物には、多くの人が行き来していた。

「成果が上がってきたのはここ数年です。1位って報道されていますが、私たちはあまりこだわらないようにしているんですね。それよりも、子どもたちの英語力が上がってきたってところに、喜びを感じているところです」

小学校ではこれまで英語の授業がなかった。小学校の先生も英語を教えた経験がない。このため「最初は先生たちの間にも、なぜ小学校から英語を教えるのか」という戸惑いの声が多かったという。

「独自のテキストは、実は先生の負担軽減も目的でした。詳細な指導書を作っておけば、迷わず教えられます。大学の先生やネイティブスピーカーの協力も受けて作りましたが、手探りの作業であり大変だったと聞いています」（猪鼻）

これがいわば授業の台本だ。この通り進めていけば、会話をしながら英語が身につくように工夫されている。しかし、小学校で会話を重視する授業をしても、中学に入ったら突然、文法中心になってしまうのではないだろうか。

その心配はないと猪鼻は自信ありげだった。

カリキュラムは小中学校の9年間を通して段階を踏んで、力がつくように工夫されている。特に中学用の教科書は比較的緩やかに作られており、これまで英語を教えてきた先生は、自分なりに工夫し、教えられる余地がある。このため小学校での蓄積も意識して授業が進められるという。

一番の変化は子どもが物怖じしなくなったこと

正式な教科書のない小学1～4年生までは、さいたま市独自の教材（副読本）を全面的に活用する。小学5年生〜中学生は、授業では必要に応じて教科書を使用し、市独自の教材で足りない部分を補っている。

　中学校の副読本をのぞいてみた。やはり会話で構成されている。さいたま市にある神社を英語で紹介する文章を読みながら、新しい表現を確認し、英語の質問に答え、関係する作文を書くなどという流れになっている。

　猪鼻は、大学時代に英語を専攻し、オーストラリア一周旅行をした経験もある。

「私の子どももさいたま市の中学生なんですけれども、私もよく知らない単語を知っていたりします。例えば、ほうれん草を英語で何ていうか知っていますね。ここまで知っている人は多くないと思うんです」

　一番大きな変化は、子どもたちが英語を話す時に物怖じしなくなったことだという。先生たちも、手応えを感じており、夏休みを利用して外国人の講師から、英語の教え方について学ぶ機会もあるという。

　さいたま市は政令指定都市であり、予算も比較的豊富だ。だからこんな独自の取り組みができるとも言えるが、公教育としての限界も当然ある。要は、中身の充実した英語の授業を作りたいという現場の熱気が、違いを生んでいるのだと感じる。

猪鼻は、「学校教育だけで英語が完結するとは思っていません。学校ではできるだけ教え、興味を持ったなら、サッカースクールや書道教室に通うように、英語をいろいろな場所でさらに学んでほしいと思っています」と話す。

日本人の3割は全く英語が話せない　米ニュースサイトの痛い指摘

日本の英語教育は外国から見たらどう映るのだろうか。その一端を示す記事が、米フォーリンポリシー（Foreign Policy）誌のウェブサイトに掲載されたことがある。珍しい記事だったので、印刷して保存してある。

フォーリンポリシーはもともと、１９７０年に創刊されたアメリカの伝統あるニュース誌だ。ウェブサイトでも、世界情勢について多彩な記事を掲載しているため、私もよく目を通す。

２０２０年5月26日にエリック・マーゴリスという人が書いた記事は、意味深なタイトルだった。

「日本人は英語の犠牲者になりたくない。英語ができれば高い地位に就けるのに、国民は頑固なまでに勉強しない」というものだ。

英語の「犠牲者」とは、どんな意味なのだろう。

内容の一部を紹介しよう。

「日本では、学校での英語教育カリキュラムの絶え間ない再編と改良が行われている。日本の文科省も認めているように、現代経済では、競争する上で英語のスキルが必要と言われているが、日本はアジア諸国と先進国の中でほぼ最下位にランクされている。（中略）ある研究によると、日本人の30％程度が全く英語ができないと推定されている。英語を流暢《りゅうちょう》に話す人は８％程度、あるいはわずか２％とされる。ドイツでは、人口の約60％が英語を話し、話者の16％が英語に堪能だ」

日本人の３割が英語完全ノー、自由に使える人は10％以下、ドイツとは大違いだとずいぶん遠慮なく書いている。

図10　英語話者が習得にかかる時間

英語話者にとって習得が難しいのは中国語や韓国語、日本語だ。文法的な違いが大きいのが理由。逆に日本語話者は英語をマスターしにくい。

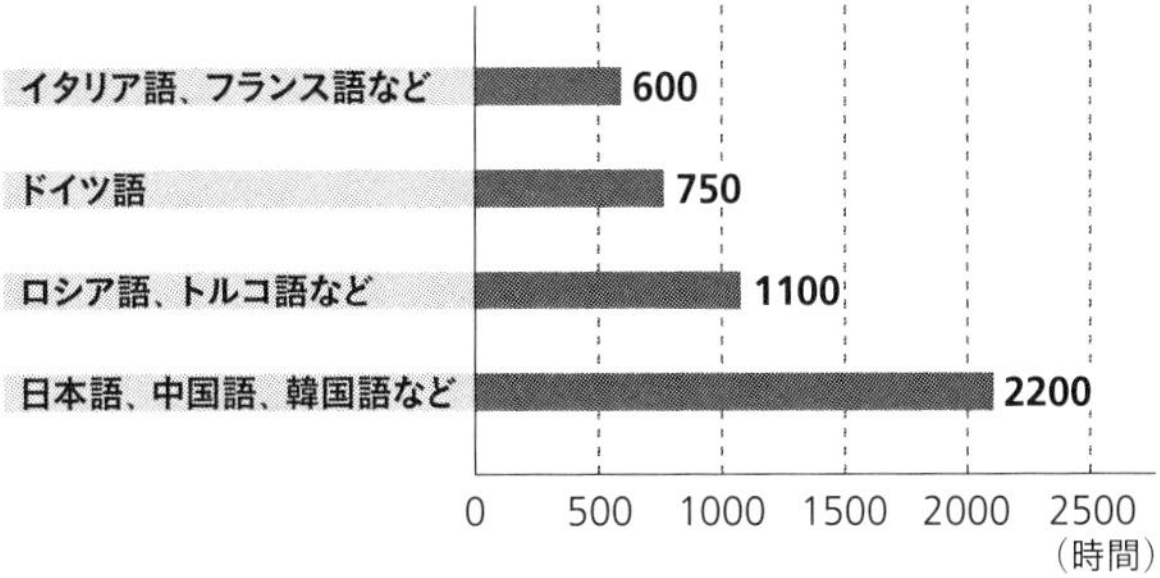

アメリカ外交官養成局（FSI）の各言語の習得難易度リストより筆者作成

「日本素晴らしい論」が足を引っ張っている

もちろん、ドイツ人には英語は学びやすい。英語とドイツ語は同じゲルマン語系であり、似た語彙もたくさんあるからだ。

アメリカ外交官養成局（ＦＳＩ）の調査によれば、英語話者が最も習得に時間がかかるのは日本語だった。逆に言えば、日本語話者は、英語から最も遠い場所にいて、習得が難しい。

日本は、英語を話さなくとも生きていける環境にあるのは間違いない。前出の記事は、さらに、「日本人は、日本語と日本文化の重要性に対する信念と、グローバル化した世界で英語が経済的特権と地位をもたらすことの間で板挟みになっている」と書いている。

　多くの日本人は、「日本は素晴らしい国であり、なにも英語学習に大量のエネルギーを使う必要はない」と考えている。これが日本人の英語学習を妨げている、という意味だ。英語ぐらいで偉そうなことを書くな、と憤慨するかもしれない。ただ、書店に行けば、この記事が的外れではないと分かる。膨大な数の英語の参考書が並ぶ書棚から遠くない場所に、日本の伝統や文化、日本語の美しさを賛美、賞賛する本があふれている。

　２００２年に急逝した人気コラムニスト、ナンシー関が、日本の英語教育についてひねった見方をしていた。日本の学校は実は生徒に本気で英語を教えていないというのだ。

　その理由は、みんなが英語をマスターし、目を丸くして、さもアメリカ人のように肩をすくめて「ワォ！」と口にするようになれば、日本人の国民性や魂を変えてしまう可能性があるからだという。

　そのため日本の学校は「おとなしくて従順な日本人を保つため、『魂』をいじらないのではないのか」（『ナンシー関大全』（文藝春秋）所収「日本の英語教育が『魂』の問題をなおざりにしている理由」）。笑って見過ごせない視点かもしれない。英語への警戒心は、イギリスに留学し、人種差別の経験をした明治の文豪、夏目漱石にもあった。英語を学ぶことは、精神まで支配されることだ、と語っていたという。

脱線してしまったが、英文記事に戻ろう。

「ほとんどの人は、日常生活でそれ（英語）を必要としていない。しかし、人口動態の傾向を考えると、日本は英語力を伸ばすか、競争の激しい世界経済で後れを取るか、選択肢はほとんどない」

英語がなくとも暮らしていける今の日本は便利であり、ある意味幸せだろう。しかし、英語が通じにくい社会のままでは、世界に向けた日本の発信力は落ち、ますます取り残されていくに違いない。

英語教育の枠を飛び出す「国際バカロレア」とは何か

日本政府は、長い間論争になってきた小学校での英語授業を２０２０年の春から実現させた。早期に学ばせるべきだという声に押された形だ。

しかし、子どもたちにとって、自分の息子にとって、英語はどの程度必要なのか、私自身いつもモヤモヤがあった。

そんな時、私はある講演を聴いて「これだな」と思わされた。語っていたのは坪谷《つぼや》ニュウエル郁子国際バカロレア日本大使だった。『世界で生きるチカラ――国際バカロレアが子どもたちを強くする』（ダイヤモンド社）という著書もある教育の専門家だ。

アメリカの大学で学び、帰国後に語学学校を開いた坪谷は「英語をツールとした人間教育をしたい」という思いにかられ、「東京インターナショナルスクール」（東京都港区）を設立した。

学んでいるのは日本に短期滞在している駐在員の子どもたちだ。彼らが次にどこの国に行ってもスムーズに転校ができるようなプログラムは何かと調べた結果、理念が最も近い世界標準の国際バカロレア（ＩＢ）プログラムと、出会ったのだった。

国際バカロレアとは、ＩＢ機構（本部・ジュネーブ）が世界の複雑さを理解、対応できる生徒を育成し、国際的に通用する大学入学資格を与えて進学ルートを確保する目的で作られた。

ＩＢが求めるプログラムを学んで一定の成績を収めれば、このプログラムを認定している世界の大学が、入学を認めてくれる。つまり、国際的に通用する大学入学資格だ。

もちろん、すべての生徒が海外を目指すわけではなく、日本国内の大学に入る場合も多い。日本でも、入試の際、ＩＢのスコアを評価に加味する大学も増えている。

小学校は初等教育プログラム（ＰＹＰ）、中学校は中等教育プログラム（ＭＹＰ）、高校はディプロマプログラム（ＤＰ）というプログラムからなっている。ＩＢが目指すのは「探究する人」「知識のある人」など10の人間像だ。シンプルかつ明快に規定されている。

従来の暗記中心の教育ではなく、世界に通用する論理的思考力や表現力、コミュニケーション能力などを身につけることを目指している。英語を学ぶのではなく、英語で各教科を学ぶことが基本だ。この点では、日本への進出が続くイギリスのパブリックスクールにも通じる部分がある。

日本政府も国内200校の普及を目指す

文部科学省も、教育改革の一環として「国際バカロレア」の導入を進めており、詳しい内容をホームページに掲載している。

坪谷はこの分野のパイオニアとして、国際バカロレアの理念をあちこちで講演し、具体的に学校にもアドバイスしている。

日本政府も動き始めた。2013年6月、「一部日本語による国際バカロレアの教育プログラムの開発・導入等を通じ、国際バカロレア認定校等の大幅な増加を目指す」との閣議決定が行われ、本格的な普及が始まった。2018年までに200校という目標はコロナ禍などの影響もあって計画は遅れているものの、着実に増えている。

2022年の段階で世界約160の国や地域で約5500校が認定を受けている。アジア太平洋地区では、インドや、マレーシア、中国などが積極的に取り入れている。日本国内のIB認定校と候補校も、2022年9月末時点で184校に達している。日本政府は認定校や候補校を2022年度までに200校以上に増やすことを目標としている。私立だけでなく、公立校でも導入が始まっている。

私が住む埼玉県さいたま市にも「大宮国際中等教育学校」ができた。以前あった高校を改編し2019年に開校した中高一貫校だ。IB機構から中等教育プログラムとディプロマプログラムの認定を受けている。

学校開放日があったので、授業をちょっとのぞいてみた。数学や社会を英語で学ぶＥＩ（ＥＮＧＬＩＳＨ ＩＮＱＵＩＲＹ）の授業が行われていた。ＥＩは英語ネイティブ教員によるイマージョン教育で年間70時間、３年間で210時間もある。通常の英語の授業を加えると、一般の公立中学に比べ、英語を使った授業が年間70時間以上も多いという。そのほかにも、英語を使った活動があるので、まさに「英語漬け」という印象だ。

それだけでも驚きだが、教室の外の廊下部分が「ワークスペース」として広く取ってあり、生徒たちが集まって討議できるようになっている。自分たちで課題を考え、それに対する解決策まで突き詰めて授業の中で発表し、実際に行動してみるという。

この日は学校の中で「フードフェスティバル」が開かれていた。生徒たちがフードロスの問題を考えようと、地域でフードロス問題に取り組んでいる業者に来てもらい、食品や飲料の即売を行っていた。

ペーパー試験と偏差値教育が当たり前だった私のような旧世代にはピンと来ないが、学校教育に大きな地殻変動が起きていることは感じられた。

日本人は英語信仰が行きすぎている

私が訪れた大宮国際中等教育学校の学校開放日に、坪谷はこの学校の保護者に招かれ、講演をしていた。以前から国際バカロレアのことは聞いていたが、彼女の話に耳を傾け、初めて詳しい内容が分かった。

坪谷は国際バカロレア教育の経験が評価され、２０１２年、ＩＢ機構のアジア太平洋地区委員会の委員となった。さらに、国際バカロレア日本大使に就任し、国際バカロレアの普及に取り組んでいる。

坪谷の事務所を訪ね、さらに詳しい話を聞いてみた。事務所はＪＲ山手線目黒駅に近い瀟洒《しょうしゃ》なビルの一角にある。さまざまな国籍の人たちが英語で作業をしていた。

私は坪谷が、英語の重要性を強調するとばかり思っていたが、意外な話から始まった。「日本人の英語信仰が行きすぎている」というのだ。

「日本人は英語、英語、英語。英語がペラペラだと国際人だと錯覚する。私ね、それ言われるたびに、それじゃアメリカ人は国際人なんですかと言い返したくなるんです」

日本語と英語は言語としての距離が遠いため、習得に時間がかかることは半ば常識になっている。もともと、日本人が英語を使いこなすことには、相当な困難がつきまとう。

そんな中、坪谷が国際バカロレアのカリキュラムを自分の学校に取り入れ、日本に広めようと思ったのは２つの理由からだ。

世界標準の教えが、子どもの可能性を引き出す

国際バカロレアのカリキュラムはまず、ヨーロッパで普及したため英語、フランス語、スペイン語という３大言語で教えられていた。高校時代に２年間かけて学ぶディプロマプログラム（ＤＰ）は、最後にその内容についてテストを受ける。この時の評価が低いとＤＰの修了資格は得られない。

「日本語でも評価を受けられないか」と思い立った坪谷が国際バカロレアの本部に働きかけたという。日本語は国際的な広がりがないとして当初は難色を示されたが、本部が同意してくれた。

これで数学や物理、経済や歴史などの最終テストも日本語で受けられることになり、課

題論文なども日本語で評価されることになった。

「日本語でも試験が受けられるのであれば、日本の学生にとってメリットが大きい。よし、これで行けると思ったんです」

もうひとつの理由は、経済格差を教育格差にしてしまわないことだ。これは坪谷のライフワークのひとつでもある。

国際バカロレアの認定校は、私立やインターナショナルスクールがほとんどで、年間の授業料が数百万円もする。これだけの学費を出せるのはごくひと握りの人だ。

「ですから、私は公立の学校で、しかも地方に国際バカロレアの認定校を作りたかった。認定校が1校できることで、その県のさまざまな学校が、そこの成果を研究して独自のグローバル教育のプログラムを作り上げていける」(坪谷)

もちろん英語を使った授業が増えるが、英語がうまくなるというのは、国際バカロレアの本来の目的ではない。自分で問題を探し出し、その答えを見つけるというプロセス自体が目的だ。

そんな世界標準の学びの中で、子どもたちは、自分自身で自らの将来を考え、進学先を見つけていくという。

貧困解消を目指し、乾燥地農業の研究を志す

全国に国際バカロレアを取り入れている公立学校がある。東京学芸大学附属国際中等教育学校や、札幌市立札幌開成中等教育学校、さいたま市立大宮国際中等教育学校などだ。広島や高知にも国際バカロレア認定校が開校している。

札幌開成中等教育学校は既存の高校を改編し、２０１５年に中高一貫の学校として再スタートした。坪谷も「運営指導委員」として協力してきた。

この学校は自分の意見を発表するプレゼンテーションを重視している。高校３年生の時の「自分プレゼン」は、両親や担任の教師の前で、自分の進学先を説明する。

このプレゼンで担任の教師に強い印象を残した生徒がいたという。

担任は「学力的には北海道大学に行ける、頑張れば京都大学も可能」と考えていたが、本人は意外な大学を挙げた。

「貧困や飢餓に苦しむ人々が集中している乾燥地で、農業を改善しないと、将来大変なこ

とになる。乾燥地の農業研究は鳥取大学の農学部が取り組んでいるので、そこに進学したい」と理路整然と説明したのだった。

まさに自分で問題を探し、解決策まで考え、自分で取り組もうとしていた。この生徒の名前は梅川《うめかわ》大地《だいち》。現在は鳥取大学の農学部から大学院に進学し、研究を深めている。

「自分の転機は、フィリピンへの留学でした」と梅川は振り返る。高校２年生の夏に３か月間、英語を学びたいという強い思いからフィリピンに行き、学校近くの寮で韓国や台湾から来た学生と相部屋で暮らした。

たまたまジプニーという乗り合いバスに乗っていた時、幼い子どもが未成年の自分に物乞いしてきた。その時の強烈な記憶が頭にこびりつき、貧困について自分なりに勉強を始めたという。

帰国後、国連の報告書などを自分で探して読んでいたところ、アフリカの乾燥地に貧しい人が多いと気がついた。乾燥地で農業をやれば貧困を減らせるのではないか。次第に自分の将来像にピントが合ってきた。

梅川は、これからも東南アジアに関わっていきたいと考えている。「農村開発とか農業普及が私の専門分野です。思い切ってフィリピンの大学に留学しようか考えているところです」

札幌開成が国際バカロレアの認定校になったのは、梅川の次の世代からだが、同校が当初から目指していた自分で考えさせる教育は、生徒を確実に変えているようだ。

第5章

日本語は役に立たない言語になったのか

世界10位前後の言語だが普及は個人レベルの努力に依存

ここまで中国語と英語が、日本を含む世界でどう学ばれているのか見てきた。言語の世界は広い。すべての動きを網羅することはできないものの、言葉の世界でも激しい「覇権争い」が起きていることは分かっていただけただろう。

それでは最後に、われわれが日常的に使っている日本語の現状と未来について考えてみたい。少子、高齢化が進む日本では、外国からの人材に頼らざるを得ない。すべての外国人が、ネイティブ並みの日本語ができればいいが、それは夢のような話だ。日本に住むわれわれは、英語を中心とした外国語を学び、より多様な社会の到来に備える必要がある。

逆に、日本の国としての魅力を高め、日本語や日本文化を学ぶ人を増やす努力も欠かせない。現在、日本語は世界で10番目に話者人口が多い言語とされているが、普及は個人レベルの努力に依存しているのが実態だ。

いろいろ考える前に、まずは世界各国で日本語を教えている先生たちに連絡をとり、現状をじっくり聞いてみた。

朝5時から夜9時半までの授業　カンボジア

「受講料は私がここに来た１９９５年から、月10ドルで全く同じなんですよ」

鬼《おに》一二三《ひふみ》校長は、笑いながらそう話した。カンボジア最大の観光地、アンコールワット遺跡がある西北部のリゾート地、シェムリアップに住む。

仕事で赴任した夫に同行して住み始めたのは１９９５年のことだ。近所の人から日本語を教えてほしいと頼まれたのがきっかけで、日本語教室を開設した。日本語を習得すれば、ガイドはもちろん、ホテルや土産物店、運転手など、観光関連業に従事できる。

中でもガイドは最も収入のある仕事で憧れの職業だが、シェムリアップのガイドは語学の知識だけではなく、体力（日の出の案内、遺跡の上り下りなど）やサービス精神も必要なので、ガイドになれるのはほんのひと握りの人だという。

月曜日から金曜日まで授業があり、生徒の都合に合わせて、何と朝５時から夜９時半までという猛烈なスケジュールで教えている。教えた生徒は延べ３２００人にもなる。元教え子のカンボジア人が初級クラスを担当しているが、フルタイムで教えているのは鬼校長１人だけだ。

このインタビューも、授業のない土曜日の早朝にＺｏｏｍで行った。話している時、どこからかニワトリの鳴き声が聞こえてきた。

日本で短大を卒業した後、富士通に入社した。５万人の社員を抱える大会社だった。自分の仕事は山ほどあり、休むと周囲に迷惑がかかると緊張した毎日だったが、私がやめてもすぐ次の人が見つかるだろうとも感じていた。

「カンボジアでは、自分が役に立っていると感じます。短期間ならともかく、自分のように長期にわたって朝から晩まで授業をやるような人はなかなか見つからないでしょうから」（鬼）

最初は、日本の書店で購入した手引き書を読み、独学で勉強をして教えていた。思い立って日本語教師の資格を取り、国際交流基金などが行っている在外邦人向けの日本語教師研修も受けて、知識と経験を重ねてきた。

中国語ができると仕事が見つかるが日本の方が好き

実はカンボジアでは仕事につながるからと、中国語を勉強したがる人が多い。中国語がうまくなれば、中国に招待されるプログラムもある。気になった鬼が生徒にその辺の事情を聞くと、「別に中国語をやりたいわけじゃない。ただ中国語ができたら仕事がある。同じ外国語を学ぶのなら、本当は英語や日本語がいい」と答えるのだそうだ。

生徒は20歳前後の高校生、大学生が中心で、社会人もいる。最近では、生徒の中から日本への留学を果たす人も出てきた。なぜ、わざわざ日本語を勉強するのだろうか。

「日本語は実利っていう点ではあまりないんです。ですからみんな割り切ってますね。中国語は収入のため、日本語は日本が好きだから、ということです。この国の人たちは親日家が多く、有り難いです」（鬼）

もちろん10ドルの月謝では、いくら物価の安いカンボジアでも生活はままならない。英語の学校は月60ドル取るところもある。スタッフのバイクに必要なガソリン代、コピー代、光熱費など出費はかさむ。

鬼の活動を報道などで知った人たちから、支援金や物資が届く。それで何とか学校を維持できているという。

「国レベルの支援がほしいと思ったことはありません。あくまでボランティアだと思っていますから。でも、私の学校に関する情報の発信とか、学校の維持経営はとても手間と時間がかかるので、誰か助けてくれる人がいればいいなあ、と思うこともありますね」

日本は高齢化、人口減で魅力感じない　中国・南京

中国を代表する江蘇省の省都、南京。上海から約300キロメートル内陸に入った場所にある。呉や明など10の王朝の都が置かれてきたが、明の永楽帝が北京に都を移したため、「南の都」として南京と呼ばれるようになった。

市内にはさまざまな歴史遺産がある。中国国内では観光地として有名で全国から観光客が集まってくる。

ここにある理工系に強い総合大学、南京郵電大学で、7年前から日本語を教えているのが、小椋学《おぐらまなぶ》だ。

小椋は日本の大学院を卒業後、韓国に1年間語学留学。その後、中国の北京語言大学で1年間学んだ。韓国時代の同級生は中国人を中心に、日本人や韓国系の人が多く、欧米人は少なかった。北京で出会ったのは、世界中からの留学生だった。

「北京語言大学は世界一留学生の多い大学とも言われますが、欧米、アフリカを始め、地球の反対側からも多くの学生が来ていたのです」（小椋）

今でも忘れられないのは、インドネシア人の留学生が小椋に語ったことだ。「日本は高齢者が多くて子どもが少なく、人口が減り始めている。それに対して、中国は人口が多く、経済発展のスピードが速く市場が大きい。私は将来の可能性を考えて、中国を留学先に選んだ」

もちろん最近の中国は、少子化や景気減速に直面しているものの、若い留学生には、中国は「魅力のある国」と映っている。

大学入試の科目として日本語に注目

一方の日本は、世界3位の経済大国とはいえ、存在感は薄れている。前出のインドネシア人だけでなく、中国人の若者にとっても日系企業に就職して、技術を学びたいというインセンティブは薄れている。

さらに２０２０年からの新型コロナウイルスの大流行で、中国から海外に行くことが難しくなり、留学自体を諦めざるを得なくなっている。

小椋は、教え子たちに日本語で南京の名所を紹介する文章を書いてもらい、ガイドブックとしてまとめ、新聞にも取り上げられた。さらに俳句大会を開くなど、さまざまな工夫を凝らして学生の日本語への興味をかき立てている。

中国国内では、日本語の魅力も薄れて、忘れられているかというとそうでもないという。子どもの頃から、日本のアニメに親しみ、自然と日本語に興味を持つ人はいる。それは、戦争中の不幸な歴史がある南京でも同じだ。

さらに、中国の日本語教育について気がついたことがある。

「これまでは大学で本格的に学んで日本に留学するというコースだったのですが、今は大学入試の第２外国語の中で日本語が比較的やさしいと言われているため、高校で学ぶ人が増えました。私の教え子に、高校の日本語教師になった人もいるんです」（小椋）

大学入試の科目として、日本語の学びやすさに注目が集まっているというのだ。「早道（倍普）」という名前のオンライン日本語教室も人気を集めている。

「結局、日本語を学ぶ人を増やすには日本という国に魅力があり、自分の将来につながると思ってもらうことに尽きるのだと感じます」（小椋）

今心配なのは、日中関係の行方だ。米中関係が悪化し、日本との関係にも影響が広がれば、中国国内での日本語教育や、自分の仕事にも悪影響が出るのは間違いないからだ。

日本語学習者は半減、中国語も壊滅　韓国・ソウル

金照雄《キム・ジョウン》は京都生まれ。韓国の名門私立、延世大学に留学し、大学院で学んでいた時、たまたまあった募集に応じてこの大学の語学学校で日本語教師となった。

その後は、ソウルにある「時事日本語学院」という日本語学校の校長となった。主な業務は日本語講師のトレーニングやカリキュラム、教材の開発などだ。現在は、同学院の顧問となっている。韓国での日本語教育歴は、ほぼ半世紀になる。日本語教育の世界で、顧問の金ことを知らない人はいない。

その金が、「実は中国語学校は壊滅、日本語学校は学生が半減しているんです」と諦めた口調で切り出した。

20年ほど前、韓国企業が中国進出を始めた頃、中国語は大ブームとなった。ソウル中心街の鍾路《チョンノ》地域には、語学学校が林立した。

実はこの頃、私は新聞社の特派員として韓国に駐在していた。私も将来役に立つと考えて早朝の中国語クラスに通った経験がある。しかし、中韓関係がこじれ、韓国企業が現地から撤退したことなどから、中国語熱はすっかり冷めてしまったという。

一方で、経済発展を遂げた韓国への中国人留学生は増えている。中でも、朝鮮語と中国語のバイリンガルである朝鮮族（朝鮮系中国人）の学生の存在は大きい。企業側にしても、もともと高い語学力を持つ朝鮮族を雇用した方が安く済む。あえて韓国人の学生を雇う意味はないのだ。

「韓国人が外国語を学ぶ動機は、ほぼ100%ビジネスです。金になるか、商売になるか、仕事が見つかるかということですから中国語が下火になったのは仕方ない流れです」（金）

代わりに韓国社会での英語の比重は大きくなる一方だ。アメリカの文化とか歴史への関心というより、就職試験で有利になり、仕事につながるという動機からだ。

では日本語はどうなのだろう。かつて、日本の統治時代には、日本語教育が行われ、日本人に負けないほど流暢《りゅうちょう》に使いこなす人が多かった。

金によれば、日本経済にバブルの兆候が見え始めた１９８５年以降、日本語を学ぶ人が急増し、２００２年のワールドカップ共催前後まで日本語学習熱は冷めなかった。三星《サムスン》、ＬＧ、現代などの企業研修センターでもこの約15年間、日本語講座は英語に次ぐ人気講座だった。主婦たちを対象にしたデパートなどのカルチャーセンターでは、英語講座よりも生徒が集まったところもある。

しかし、「次第に主婦がいなくなって、次に会社員がいなくなって、大学生もいなくなった」(金)。今残っているのは「日本のサブカルチャーに関心を持つオタク的存在の少数者と、国内の熾烈《しれつ》な競争を避けて日本での就職に活路を見いだすため、日本の大学への進学を目指す高校生だけ」と金は寂しがる。

初学者はオンライン教育やＳＮＳにシフト

それでも、初学者は、学校での対面授業を望むのではないだろうか。

「違いますね。初めて日本語を学ぶ若者は、もう学校には来ないんです。オンラインの会話教室か、直接ＳＮＳで日本人の友達を見つけて、好きな話題で盛り上がる。最初はむちゃくちゃなやりとりをしているようでも、けっこういい線いっちゃうものなんです」（金）

ＳＮＳを通じて、ランゲージ・エクスチェンジ（お互いの母国語で交互に話して、相互に教え合うこと）をしているということだ。高速インターネットが早く普及し、何事も早く進める韓国らしい現象だ。

教育関係者も、こういった若者の新しい動きを見逃さない。オンラインの語学講座を拡充し、比較的安価に提供している。既存の語学学校もオンラインに取り組んでいるが「専門の業者はスタジオの規模と設備が全然違う。われわれのマーケットは完全に取られてしまったんです」（金）。

今後は初級ではなく、中級以上の学習者を狙い、1対1で教えるようなスタイルへの切り替えを考えているという。

金が心配していることがある。韓国では「日本と対等になった。学ぶことはない」という認識が広がっていることだ。

あえて日本に学ばなくてもいいというムードの中で学校での日本語教育はしぼみ、日本を理解するための教育も行われていない。日本と韓国は観光を中心に年間1000万人以上の往来があった。コロナ禍が収まれば、人の往来も復活するだろうが、「日本軽視の流れは、ボディブローのように両国関係に悪い影響を与えかねない。日韓の文化認識をキーワードに両国関係を何とかしたいと毎日考えています」（金）

アニメ、コスプレ、自分の世界に浸る　スロバキア

スロバキアと聞いて、国の位置が頭に浮かぶ人は少ないに違いない。中央ヨーロッパに位置し、チェコ、ポーランド、ウクライナ、ハンガリー、オーストリアに囲まれている。もともとはチェコと連邦を組んでいたが独立した。首都のブラチスラバには、有名なドナウ川が流れている。

この街にあるコメニウス大学は、国立の静岡大学と提携関係にあり、日本人の留学生も多い。

約50人の学生に日本語を教える橋本《はしもと》・K・玲奈《れな》は、大学卒業まで日本で暮らした。父は日本人、母はスロバキア人だ。昨年、スロバキア科学アカデミーで博士号を取得し、コメニウス大学の研究助手となった。

ドキュメンタリーの制作が専門だが、大学に日本語を教えるポストに空きができ、偶然教えることになった。

「日本語への興味の入り口は、だいたい3パターンに分類できます」。いつも橋本が感じていることのようだ。

最初は何と言っても日本のアニメだ。『ポケットモンスター』といった定番のほか、ジブリ作品や『ナルト』などを見て、ファンになった学生もいた。

日本で盛んなコスプレに興味を持っている人もいる。残りは純粋な言語に対する興味だ。

「とにかく漢字が大好き」という珍しい人もいる。

「スロバキアの人は、のんびりしています。日本語を学べば、仕事が得られるなどという

経済的理由の人はいません。自分の好きなことを究めたいと思っているんですよ」（橋本）

日本に対する関心は韓国や中国に押されている

学生はドキュメンタリーを携帯などで撮影し、日本語の字幕を入れる。この作業を通じて、日本語を学んでもらう。しかし、スロバキアでの日本に対する関心は「韓国や中国に押されている印象がある」という。

「スロバキアには韓国の自動車メーカー、起亜の製造工場と関連の部品工場があるんですね。生産量は国内1位とも聞きます。ですから就職を考える人は、韓国語か中国語を学びたがります」（橋本）

大学には韓国政府が後押しする世宗学堂《セジョンハクタン》が併設されている。学生や一般市民を対象に韓国語講座や、韓国文化を伝える学校だ。

中国も負けてはいない。コメニウス大学の中に「孔子学院」を開設して、中国語や中国文化を教えている。学費が安く、中国からキャリアのある教師まで派遣してくる。

スロバキアは欧州連合（ＥＵ）に加盟したため先進国扱いとなり、国際協力機構

（ＪＩＣＡ《ジャイカ》）傘下の青年海外協力隊からの日本語講師の派遣が行われない。日本語教育は手薄になりがちだ。

そういう国々を対象とした日本の民間日本語教師派遣団体がある。アイセア（ＩＣＥＡ）といい、東欧諸国に日本語教師を定期的に派遣している。いろいろな機関や自治体から、日本語講師の派遣について相談が寄せられるという。

コメニウス大学にも、ＩＣＥＡを経由して名古屋在住の女性が6年間滞在し、最近帰国した。引き続き後任者もＩＣＥＡから派遣された。ただ、あくまで客員講師（ボランティア）扱いだ。生活費は基本的に自分持ちで、狭い学生寮で生活するしかないなど、待遇がよいとは言えない。

橋本は「スロバキアの日本大使館は、活発に交流活動をしてくれていますが、日本語を学ぶ機会をもっと増やしたいですね」と話した。

日本は着物と車の国と思っていた　アフリカ・マダガスカル

Ｚｏｏｍがつながって、こちらが日本語であいさつをしていたら突然画面が固まった。

再び接続すると「停電しました。こちらではよくあることなんです」。

パソコン画面の向こうは、マダガスカル共和国。日本からははるかに離れたアフリカ東海岸のインド洋に浮かぶ島だ。島といっても、日本の約1・6倍の面積で、島としては世界4位の大きさだ。日本では、アメリカで制作された『マダガスカル』というアニメ映画で有名になった。

アンビニンツア・スルフニアイナ・ラクトマナナは、立命館アジア太平洋大学（APU、本部・大分県別府市）の第1回卒業生だ。現在は国立アンタナナリヴォ大学の日本語コース長を務め、マダガスカルにおける日本語教育に尽力している。この功績から旭日小綬章を受章した。

「マダガスカルで日本語を学んでいる学生さんの人数は2500人以上になります。人口は2800万人なのでかなり多いと言えるかもしれません」（ラクトマナナ）

ラクトマナナによれば、学習者には3つのタイプがある。日本への留学を目指す人。2番目は日本の文化に関する知識を得たい人。3番目は、将来の就職を考えている人だ。

国費留学で日本に行く学生も毎年3、4人は必ずいる。社会学や経営学を選ぶ人が多いという。

就職を考えている人は、観光ガイドになるのが目標だ。しかしコロナ禍で日本からの観光客が途絶えてしまい、就職の道は閉ざされている。

「やはり、日本のアニメはここでも人気です。私はよく分からないのですが『ポケモン』とか、『ワンピース』ですか？　そういう人気アニメから日本に親近感を抱くようです」と言って笑った。

ラクトマナナに、日本語を学んだきっかけを聞いてみた。

「それは実は難しい質問です」

最初から「日本語」を意識していたわけではないからだ。時間があったから、少しかじってみた。「英語と比べたら、まあ簡単じゃないかなと思ったんです」

勉強すると、どんどん面白くなって、はまったという。意外にもマダガスカル語と日本語は、発音や文法が似ている面も多いのだそうだ。

２００４年にＡＰＵに留学した時は、面食らったという。「日本についてあまり知りませんでしたから。てっきり日本の人はみな着物を着て、トヨタとか日産の車に乗っているのかと思いました」

共通の悩みは日本語を教える教師の不足

自分の授業では、日本のことを書いた記事や、お正月の過ごし方や、日本の町並みなどが分かる映像をユーチューブから探してきて学生に見せる。3年生になれば、かなり高度な内容も理解できるようになるという。

国内には多くの日本語学習者がいるものの、教師が圧倒的に不足していると、ラクトマナナは訴える。アンタナナリヴォ大学の場合、正規の日本語教師の資格を持っているのはラクトマナナ1人だ。

国際交流基金の拠点が少ないアフリカには、青年海外協力隊から1人の教師が派遣されたが、「それでもまだ足りないと思います。私立大学や民間学校でも、日本語は教えられていますが、資格がない先生だけです」（ラクトマナナ）。教え子が2人、現在日本で学んでおり、「ぜひマダガスカルに帰ってきてほしい」と伝えているという。

その一方で存在感を強めているのが中国だ。いくつかの大学に孔子学院が設置され、安

図11　教師1人あたりの日本語学習者数

日本語熱は、日本への関心の高い、中国や韓国、インドネシアをはじめとする東南アジアの国々で高いが、日本語教師は大幅に不足している。

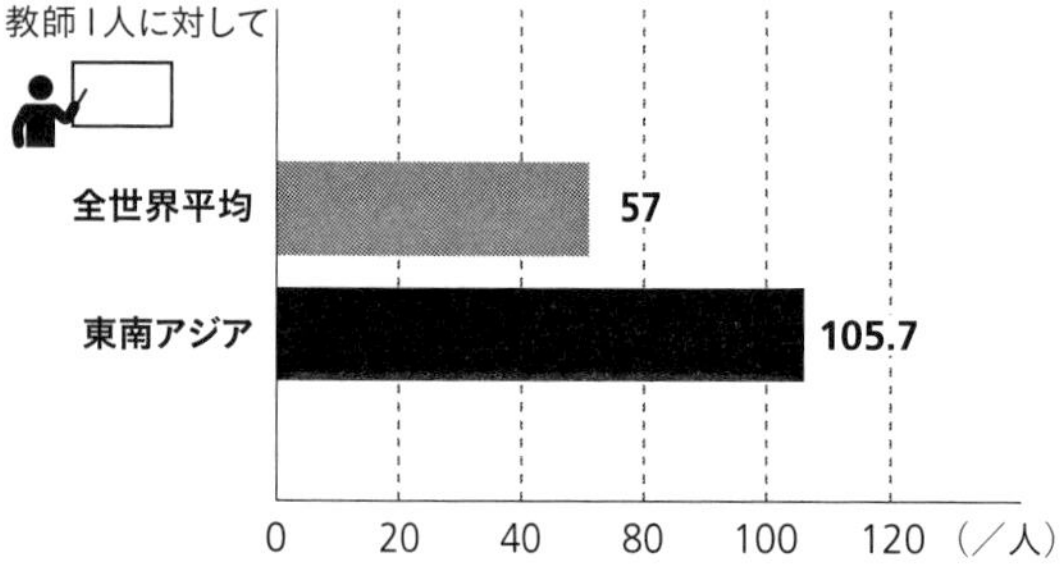

令和元年外務省行政事業レビューより筆者作成

い費用で学べるため、学生も多く参加している。首都だけではなく、地方の大学にも設置されているという。

中国企業が進出し、現地でインフラ工事を行っていることから、中国語ができれば通訳として働ける。就職に直結するのだ。さらに中国への留学を考える学生も増えている。

現地にある日本の大使館も、日本語学習者向けに図書館を作り、日本のビデオや日本の雑誌などを用意し、スピーチコンテストなども行っているが、ニーズに十分応えているとは言えないようだ。

ラクトマナナの願いは、「うちの学生たちが、日本にたくさん留学することです。あとは観光客が戻って、学生たちが日本語を生かせる場ができればいいと思います」。

日本の存在感はアフリカで薄れていませんか。そう聞いてみた。

「いえいえ日本はまだまだ魅力的です。日本を好きな人はたくさんいます」。ラクトマナナはそう付け加えた。

国際交流基金が行う日本語学習支援の成果と限界

ここまで日本語教育の生の声を拾ってみた。

もとより、私が聞ける内容には限界がある。しかし、おぼろげに浮かんできたのは、どうやら日本政府が行っている世界の日本語学習者への支援は、ほかの国に比べて手薄であり、日本語教師個々人の努力に任されているということだ。

もちろん中国のように、国を挙げて進め、摩擦を引き起こす必要はないだろう。しかし、日本語を学んでくれる人こそ、心底日本のファンであり、日本を支持してくれている。いつか日本に来て働いてくれるかもしれない人材でもある。防衛力強化と言って、高価な戦闘機を買うよりも、この方面に力を注ぐ方が実は日本の力を高め、「ソフトパワー」にな

図12 日本語普及事業の運営費交付金

日本のイメージアップにつながる日本語普及事業は優先順位が低く、事業を進めている国際交流基金への交付金は、年々減少を続けている。

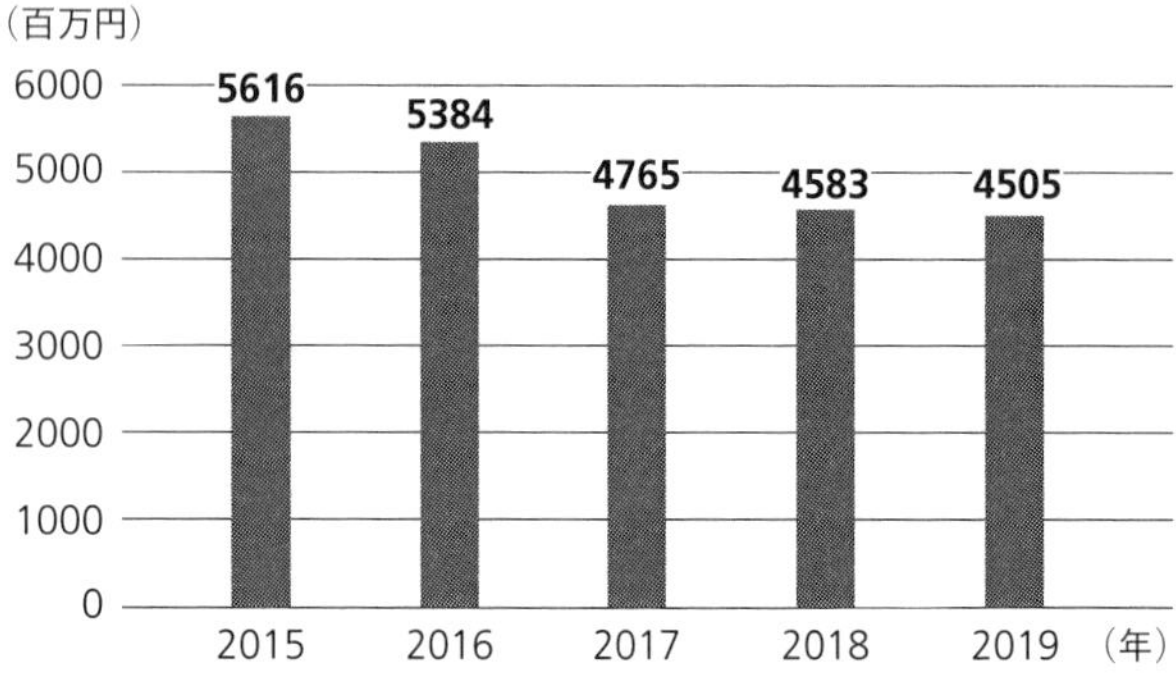

令和元年外務省行政事業レビューより筆者作成

るはずだ。

長年、中国をはじめ世界33か国・地域で日本語を教え、「カリスマ日本語教師」と呼ばれる笈川《おいかわ》幸司《こうじ》も「蓄積ある教師のノウハウを共有する仕組みが必要だ」と提言する。

もどかしさを最も感じているのは、実は海外での日本語教育を受け持っている国際交流基金ではないか。外務省所管の独立行政法人で、日本語教育を「日本への関心の入り口として重要」と位置付け、親日家、知日家、日本との交流の担い手、日本の専門家の育成を図ることを目指している。

基金の財源は政府出資金の運用益、政府からの運営費交付金および民間からの寄付などでまかなっている。

国際交流基金に関するさまざまな資料は、所管する外務省のホームページからダウンロードして読めるが、その内容からは海外での日本語教育が置かれたお寒い実状が透けて見える。ちょっと紹介しよう。

学習者の伸びに追いつけない海外での日本語教育

同基金の資料によれば、世界での日本語学習者は約400万人弱、過去39年で30倍に膨らんだ。しかし教師数は約19倍にとどまり、教師不足が目立っている。

本書ではたびたび中国政府が肩入れして世界に設置している孔子学院について触れてきたが、その急成長ぶりに基金としても危機感を感じているようだ。

「中国（孔子学院）や韓国（世宗学堂）の自国語普及活動が活発化し、相対的に日本語の地位が低下」（基金資料）と認めている。アニメやマンガで根強い人気を誇っていた日本語は、中国語や韓国語に押されつつある。

さらに衝撃的な数字もある。２０１９年の行政事業レビューに提出された資料によれば、

図13　自国言語を普及させるための各国の直営拠点数比較

自国の言語や文化を普及するための世界各地の拠点数を比較すると、中国の孔子学院が圧倒的。日本は最も数が少なく、減少を続けている。

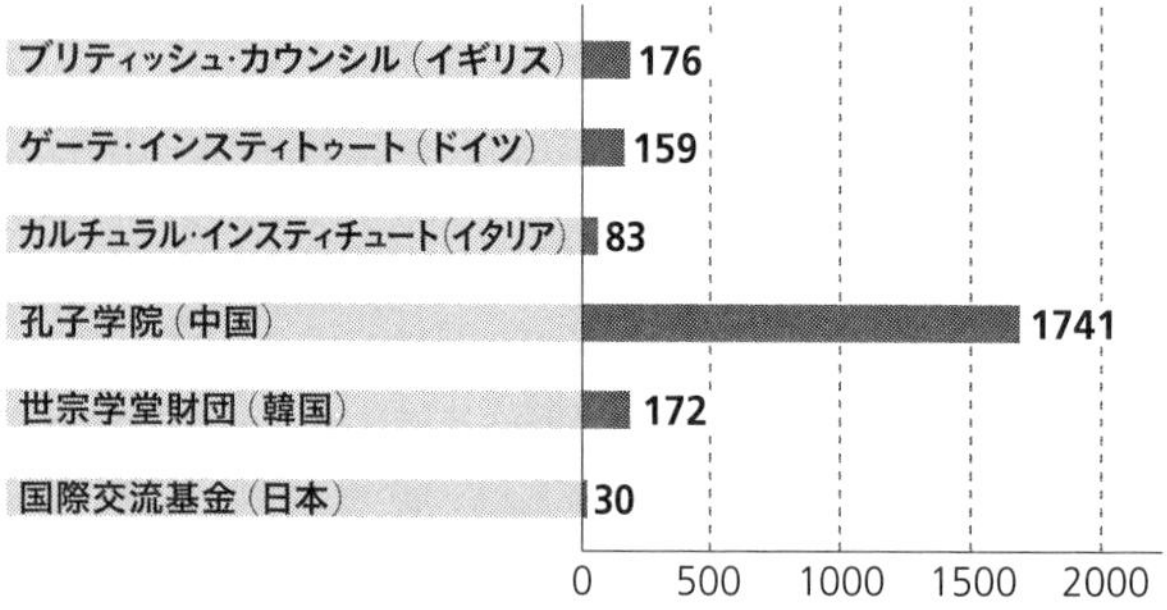

令和元年外務省行政事業レビューより筆者作成　（か所）

国際交流基金が世界に設置している日本語学習のための直営拠点は、ソウルやパリなど世界に30か所（現在は24か国、25か所）となっている。パリやニューヨーク、モスクワ、サンパウロなど主要都市を網羅している。やはり日本語の人気は根強い、と思うと大違いだ。

中国は政府の直営拠点がなんと1741か所もある。孔子学院と、その関係部署の拠点だが、日本のざっと70倍だ。上意下達の共産党政権だからできることだと思うと、そうではない。国際的にはあまり広く話されていないイタリア語の学習拠点で、イタリア政府が後援しているイタリア文化会館（カルチュラル・インスティチュート）ですら、世界に80か所以上もある。

これらの資料は、各省庁が複数の専門家に対して事業の内容を説明し、意見を聞く「行政事業レビュー」で公開され、ユーチューブで見ることができる。海外での日本語教育の問題点がよく分かる映像だ。

外務省側は「拠点は30しかない。予算に限りがあるのでいきなり増やせないが、民間の力を借りて努力したい」「各国の活発な動きを見ると、忸怩《じくじ》たる思いがする」と歯切れ悪く説明した。

これに対して専門家からは、「孤立言語（基本的にひとつの国の母国語）であるイタリアと同じ程度かと思ったら、日本の拠点数の方がはるかに少ない。韓国よりも少なく、ショックを受けている。日本語の普及は日本のソフトパワーにつながる。もっと増やしてもらいたい」「学習者が増えている国に対して、表彰制度を作ってはどうか」「インターネットやアプリを通じた普及を図ってほしい」などと、次々に注文が出された。

中国が世界に派遣する語学専門家は日本の24倍

海外に日本語普及のための専門家を派遣するのも、国際交流基金の重要な役割だ。コロナ前の２０１７年度には148人が42か国に派遣された。

一方の中国は、３５７４人を146か国に送っていた。日本の約24倍となる。これも国際交流基金の資料に書かれている。

海外に展開する孔子学院を中心に派遣されているのだろう。孔子学院については「スパイ組織」との主張もあるが、本当にスパイ組織ならこれだけ多くの中国語の専門家が世界で受け入れられているのはなぜだろう。それなりの語学教育を安価に提供し、ビジネスに結びつける努力をしているからではないか。

日本語学習者は国別では中国が圧倒的な１位だが、ベトナムの急増ぶりが目立つ。インドネシアにも多い。技能実習生として日本に来る若者が増えていることが影響している。

このため、国際交流基金は、２０１４〜２０２０年度までの７年間で東南アジアに３０００人のネイティブスピーカーを「日本語パートナーズ」として送り、授業のアシスタントや自らも現地語を学ぶ「文化のＷＡ（和・環・輪）プロジェクト」を始めた。故安倍晋三元首相の肝いり事業だったが、コロナ禍で思うように進んでいない。

日本語教師を世界各地に派遣している国際協力機構（ＪＩＣＡ）の青年海外協力隊に話を聞いてみた。アフリカや中東など、国際交流基金がカバーできない地域に日本語教師を送っている。２０２２年３月時点で、実際に派遣されている人は12人に過ぎなかった。

主要国の中で、自国の言語を世界に広めることに最も消極的なのが日本、と言っても間違いとは言えまい。

日本版「孔子学院」、紫式部日本語講座という構想があった

日本政府の中にも、孔子学院や世宗学堂を通じた中国、韓国の自国語普及活動に危機感を感じていた人はいたようだ。

２００７年12月、こんなニュースがあった。

「日本語を世界に売り込め――。外務省は、海外で日本語を教える拠点を今後３年間に、現在の10か所から約100か所に増やす方針だ。来年度予算案に２億１０００万円を盛り込み、

70か所増やす」（読売新聞）

この背景には中国が中国語教育のための「孔子学院」を、世界各地に次々と設けていることがある。外務省内では「一目で日本語講座と分かる名称を考えたい」として「紫式部日本語講座」とするアイデアも検討されていたという。

海外の日本語学習人口は、この記事によると２００６年時点で133か国・地域の298万人だった。１９７９年当時の約23倍で、２００３年と比べても約62万人増えていた。

一方、同じくこの記事によれば、中国は２００７年までの2年間で「孔子学院」を188か所も設置していた。拡大ペースが、日本をはるかに上回っていた。しかも中国経済の拡大で「中国語学習熱」は広がっており、外務省は「日本語人口の多い東南アジアなども中国語に席巻される」との危機感を募らせていた。

しかし、そう簡単に進められない歴史的な背景もある。

戦前の日本軍は、英語を排斥した。さらに戦時中、日本語の専門家を中心に日本語を世界に普及させる必要性が叫ばれた。日本語を「大東亜共栄圏の共通語」にすることが目標とされ、英語に負けない学びやすい言語にするための論議が活発化したこともある。

人気マンガにも登場した伝説の日本語テキスト

若者に人気のあるマンガシリーズに、『賭博堕天録カイジ』（講談社）がある。ずぼらな主人公・伊藤開司（通称カイジ）が、友人の保証人となって多額の負債を抱えたことをきっかけに、さまざまなギャンブルに挑む――ざっとこんなストーリーだ。

その中の和也編第3巻に、日本に行って一攫千金《いっかくせんきん》を夢見る若い中国人が登場する。事情があって戸籍がない。借金して偽造パスポートを作って日本に行き、戸籍を作ることを計画する。

その彼が、なけなしの金をはたいて買うのが、使い古された日本語のテキストだ。これが中国でナンバーワンの人気を誇る日本語の自習書『標準日本語』である。

正式名称は『中日交流標準日本語』という。日本語を学んだ中国人は、一度はこの本を手にしたに違いない。ちなみに私の妻も、この本で勉強した。

『標準日本語』は、中国の人民教育出版社と、日本の老舗教科書会社の光村図書出版（本社・東京都品川区）が本格的に協力して作った。

独習者向けの本なので、学習者がそのまま使っても問題がない表現をふんだんに盛り込んでいる。例えば、動詞についてはまず、「辞書形」ではなく「ます形」を掲載している。「話す」ではなく「話します」といった具合だ。

さらに、中国語話者に共通する間違いにも触れている。例えば、「おいしいの料理」「森さんが座るの場所」と言い間違いやすいが、この場合「の」は付けない。こんな丁寧な解説が光っている。

自分が学んだものは破壊できない

『標準日本語』は日本語を独習する中国人の80％以上に愛用され、累計利用者数は100０万人を超えている、とも言われている。

中国のネットを探すと、『標準日本語』への熱い思いを語る文章がたくさんある。「内容が高度で、取っつきにくかった」という意見もあるが、「生活や仕事に関連する例文が多く、役立つ」「コラムで、日本の習慣や風習が丁寧に説明してあり、理解しやすい」「ほかの本に比べ、敬語がたくさん紹介してある」などだ。

この本が、『賭博堕天録カイジ』で紹介されていることや、いかに中国で普及しているかを筆者に教えてくれたのは、青山学院大学文学部日本文学科准教授の田《た》中《なか》祐《ゆう》輔《すけ》だ。田中は、中国での日本語教育の歴史を深く調べ、『現代中国の日本語教育史――大学専攻教育と教科書をめぐって』（国書刊行会）という本にまとめている。

「言語が持つ魅力ある世界を伝えるには、やはり本という形が一番だと思います。最も効果的に示せる媒体だと思うんです」と田中は話す。

例えば外交官は、まず将来自分が専門とする国の言葉を学ぶが、「その人が勉強した時に読んだことは、頭の片隅に残ります。身につけたものが、結局生涯の土台になります。研究者も同じです。いいものに触れていれば、それをあとで破壊しようとはしない。それがよい教科書を作ることの大切さだと思います」（田中）

優れた語学テキストや学校の教科書が、外国語の学習者を増やし、国と国とのつながりを強めてくれるということだろう。

日本が活力を失えば、日本語の行く末も暗い

国力と言語に関して、興味深い実例がある。

この本の第１章で紹介した２０５０年の言語別の話者予測によれば、ロシア語話者数は大幅に落ち込むことが予想されている。ロシアの国力低下や、その強硬な外交姿勢が影響している。

一方で、アメリカ、カナダ、オーストラリア、ニュージーランドのロシア語話者の数は、１９９０年から２０１５年の間にやや上向いている。計120万人から400万人に増加したという。これはロシアとの経済協力の必要性が出てきたことや、共産主義への警戒が解けたことなどが影響したためだ。ロシアが弱くなったので、安心して学べるようになったというのは、皮肉と言えば皮肉な結果である。ロシアが外交で関与を深める中近東やアフリカでも微増している。アメリカと対立する中国では、今後の中ロ関係の緊密化を見越して、若者がロシア語を選択することが増えているが、世界的な衰退はとても穴埋めできない。

２０２２年にロシアはウクライナに侵攻し、国際社会から非難を浴びた。このことも、

ロシア語離れを加速させるだろう。

日本語はロシア語のような劇的な落ち込みは見せないと信じたいが、結局国の活力が失われれば、外国の若者は日本語に自分の貴重な時間を費やすことを避けるに違いない。

日本語について発言している小説家の水村《みずむら》美苗《みなえ》も、著書『日本語が亡《ほろ》びるとき――英語の世紀の中で』（ちくま文庫）で「日本語も、『絶対、大丈夫』ではない。日本人がかくも無邪気に日本語の永続性に自信をもてたのは、ひとえに、四方を海で囲まれた地理的条件が幸いし、日本語を護らずに済んだだけのことである」と、日本語の未来に警鐘を鳴らしている。

言葉の壁を取り除くすごい道具が現実になりつつある

そもそもテクノロジーが言葉の壁を乗り越えてしまうことも考えられる。

藤子《ふじこ》・F《エフ》・不二雄《ふじお》原作のマンガ・アニメ作品『ドラえもん』には、数々の秘密の道具が登場するが、そのひとつが「ほんやくコンニャク」だ。一口かじると、どんな外国語でも理解できるようになり、自分の話した内容が、相手の言語に変換される。音声だけでなく文字の解読もできるようになる。過去の時代の言語も翻訳可能というものすごい道具なのだが、現代のテクノロジーは実は「ほんやくコンニャク」を、かなり使えるレベルで実現している。

もちろん「コンニャク」を食べるわけではなく、ＡＩを使って自動翻訳するのだ。細かな仕組みは私の能力では説明できないが、パソコンのブラウザで使えるグーグル翻訳は、マイナーな言語でもけっこう意味が分かるレベルで翻訳してくれる。

今までなじみのなかったウクライナ語も日本語に変換できるので、ウクライナとロシアの戦争の現実が、リアルタイムで把握できることもある。

最近は「ＤｅｅｐＬ《ディープエル》翻訳」の評価が高い。

２０１７年８月28日にサービスを開始した、無償利用もできる機械翻訳サービスだ。ドイツのケルンに本拠地を置く会社が開発した。

２０２０年３月19日には日本語と中国語にも対応したほか、ＷｏｒｄやＰＤＦ文書の翻訳にも対応している。日常レベルなら字数制限のある無料版でも十分使える。

中国では百度《バイドゥ》翻訳がナンバーワンだ。語彙が豊かで変換も精度が高く、中国語の発音が自然だとして評価が高い。百度は、中国でグーグルに代わり検索エンジンのトップであり、技術力にも定評がある。

音声翻訳の世界も飛躍的に発展している。日本ではソースネクスト（本社・東京都港区）が発売している「ポケトーク」に注目が集まっている。翻訳能力が高く、観光地ではこれを使って外国人と対話している日本人も見かける。

また日本国内の自治体では、ホームページ上の防災やゴミ出しのルールなどの情報を、多言語に自動翻訳する機能を取り入れ始めている。

英語か中国語か、いやまずは日本語だと言っているうちに、テクノロジーが言葉の壁を打ち破ってしまうかもしれない。

日本語と韓国語の壁は消えるのか

文法的な構造が似ている言語同士なら、この自動翻訳はかなりの精度になる。筆者はかつて、韓国に語学留学をした。日本語と韓国語は文法や語彙が似ており、ある程度の基礎が固まれば、推測を働かせながら文を組み立てることができる。

そんな類似性は日韓・韓日の機械翻訳の大きな助けとなる。すでに両言語間の機械翻訳の精度は、90％以上と言われている。韓国語を全く知らない人でも、スマホやコンピューターで自動翻訳すれば内容は把握できる。あと数年で100％に近い精度を達成するかもしれない。韓国語の翻訳者を目指す若い人は夢を諦めた方がいいのだろうか。

「そんなことはありません。当分ＡＩは人間に取って代わられません」と、私の知人でベテラン通訳者の矢野《やの》百合子《ゆりこ》は、きっぱりと否定した。

矢野は大学卒業後に韓国に留学。研究者を目指すはずが、いつの間にか通訳・翻訳が主な仕事になり、テレビで同時通訳などを務めている。

矢野が、人間の能力を評価する理由はこうだ。

現段階のＡＩ翻訳はディープラーニングで進化し続けているとはいえ、基本的にはネット上の膨大な資料を読み込み、確率的な演算結果に基づいて最適解を提示しているに過ぎない。

一方でヒトの通訳者は、知識学習面ではＡＩに劣るとはいえ、通訳者自身が人の言語活動に不合理な「揺らぎ」があることを認識している。だから「どのような状況において、揺らぎが発生するかを自らの経験値として持っているのでＡＩより有利に立てる」と言うのだ。

揺らぎを知る人間の翻訳者は生き残る

例えば日韓通訳の場面では、「そうですね」を韓国語に訳す場合、さまざまなパターンが考えられる。前後の文脈や現場の雰囲気、話者の表情や語調等で瞬間的に訳出する内容が変化する。

例えば글쎄요（そうですね：否定肯定が曖昧な相槌）、그렇군요（そうなんですね）、그래요（そうですね：同意の相槌）、맞아요（その通り：賛同）、그렀겠죠（そうなんでしょう）、그럴 수도 있네요（その可能性もありますね）などという具合だ。

話の対象が専門家か一般人か、青少年や子どもか、フォーマルな訳出が求められる場なのか、気楽な感じの方がよいのかなど、言語以外の環境的要因も多くあるため、今後20～30年はヒトがＡＩより優位に立つ状況は続くと矢野は確信を持っている。

ただ、単純明快で合理的な文章は、現在でもＡＩで相当程度可能になっているので、ヒトの通訳者が活躍できるのは難度の高い通訳に限られる可能性が高い。

翻訳の世界でも「とりあえずＡＩで訳してみて、おかしなところがあるものだけを、ヒトの翻訳者に依頼する」という形になるだろうと予測しているという。要は「住み分けが進む」ということだ。

合理的なやりとりが好まれる分野では逆にＡＩが翻訳しやすい文章だけが選ばれ、含みを持たせた文章は使われなくなる。ＡＩが人間の言語活動を変えるのだ。

「言葉を愛する者としてはちょっと寂しい気もしますが、そういう時代になったらヒトの翻訳者は、言葉の達人、いわゆる匠《たくみ》のような存在になって、もっぱら文芸作品を翻訳するのかもしれません」（矢野）

ＡＩが発達するほど、われわれの言語感覚やセンスが求められることになるに違いない。

「英語も中国語も」が開く日本の未来

この本のテーマは、10年後に英語と中国語は、どちらが覇者になるか、学習するならどちらを選ぶべきか、日本語はこのままでは影が薄くなっていくということだった。

もちろん現時点で選ぶなら英語だろう。しかし、中国市場や中国語圏を意識してビジネスをしたいのなら、中国語に軍配が上がる。50年、100年という長いタームで考えれば、中国語が世界語になっているかもしれない。

ちょうどタレントの小島《こじま》瑠《る》璃《り》子《こ》が中国に移住して、中国での活動を見据え、中国の大学に留学とのニュースがあった。中国は日本とは社会体制が違い、制約も多いが、英語圏とは違う未知の可能性がある。

同じエネルギーを割くのなら、私は中国語を学ぶことを勧めたい。えこひいきしているわけではない。競争相手の多い英語よりも、中国語を深く学べば、今後、仕事の幅が広がる。中国の拡大は警戒すべきだが、相手を知るためにも、言葉を学ぶことは重要になる。

この本の第1章で、イギリスの国際文化交流機関、ブリティッシュ・カウンシルの報告書を紹介した。英語教育の中心であるイギリスが、「英語だけでは生き残れない」と考えていることを思い出していただきたい。

英語について言わせてもらうのなら、「コミュニケーションの道具」として割り切って、教育現場で時間をかけて教えるべきだろう。第4章で取り上げたさいたま市の事例が、そのことを教えてくれている。日本では、東京大学への進学実績ではなく、海外への大学への直接進学の実績をアピールする英語を重視した新しいタイプの中学校、高校が続々と生まれている。語学ができて意欲もある若者は、日本を見捨ててしまうかもしれない。

日本は今後、急速に少子高齢化社会が進んでいく。その時、外国から来た労働者に今よりも依存することになる。日本で働く条件として高度な日本語の習得を必須にしたら、その人は、外国語が通じやすい別の国に行ってしまうかもしれない。日本に住むわれわれが、外国語を学んで、外国人を迎える時代がそこまで来ている。日本語の話者が、どうやれば英語を短時間に会得できるか科学的に分析し、学校現場で共有する工夫もほしい。

米中の対立は間違いなく長期化する

アメリカと中国の対立は、2つの国の枠にとどまらず、民主主義国家と権威主義国家の対立の様相を見せている。民主主義の国々は、いち早く自由で豊かになった。そのため、ゆくゆく世界は民主主義国家で覆われ、中国やロシア、北朝鮮など、指導者が強権を振るう権威主義国家は滅びていく運命だと信じられた。

ところが現実は逆になりつつある。

英オックスフォード大の研究者らが運営する「アワー・ワールド・イン・データ」の調査によれば、民主主義の国に住む人は現在、世界の10人に３人未満に過ぎない。残りの約７人は権威主義国家に住んでいるという。

アメリカではトランプ前政権時代に社会の分断が進んだ。アメリカや日本をはじめとする民主主義国家は、ロシアのウクライナ侵攻をやめさせられず、無力なままだった。

逆に、新興国の多くは中国モデルを目指している。政府主導によって飛躍的な経済成長を実現する。不満を持つ人びとを監視し、体制の安定を図る権威主義国家のモデルだ。

新型コロナ対策で中国は、都市封鎖などの強制的な対策で市中感染を抑え込む「ゼロコロナ政策」を続けた。これに市民が猛反発し、ゼロコロナは大幅に緩和され、２０２３年に入ると海外旅行を段階的に再開した。ところが、皮肉なことにこの措置で感染は爆発的に拡大した。日本をはじめ各国は中国からの旅行客の健康状況を厳しくチェックする水際対策に追われた。中国の混乱は、世界を揺るがしている。

バイデン政権は２０２２年12月、対中政策を調整する「チャイナ・ハウス」を国務省内に設置した。省内外の中国専門家を結集し、軍事や経済、外交など各分野で国際的な存在感を高める中国への長期的な対抗策を立案するのが狙いだという。

米中対立が長引く中、日本は安保政策を大転換させた。外交・防衛政策の長期指針「国家安全保障戦略」など安保関連３文書の改定を閣議決定した。この中で、歴代政権が戦後一貫して否定してきた敵基地攻撃能力（反撃能力）の保有や、防衛関連の予算を２０２７年度に対国内総生産（ＧＤＰ）比２％へ倍増させると明記した。

民主主義と権威主義という世界の二極化は、ますます進んでいくだろう。

広い視野で世界を見つめるために

この本を書いている最中に、友人がある学童クラブを紹介してくれた。東京都北区の十条にある宇賢《うけん》教育学院という。放課後に子どもを預かり、さまざまな習い事をさせる学童クラブである。

ほかのクラブと違う特徴は週３回ずつ英語と中国語を教えることだ。日本語と英語と中国語のトライリンガルを育てることを目標とした「日本初の学童クラブ」をうたっている。

十条のほか、門前仲町や横浜市鶴見区、洋光台などにも教室がある。ある日の午後、教室を訪ねてみた。子どもたちは気負うことなく、ごく自然に英語と中国語を学んでいた。週に1回はハングル（朝鮮語）も学ぶという。

学院長の方貞華は、日本で大学にも通った朝鮮族（朝鮮系中国人）だ。朝鮮族は中国語、ハングルが話せる上、さらに英語や日本語ができる人もいる。

「子どもたちが、外国語を話せるようになるのが唯一の目標ではありません。英語や中国語が少しでも分かれば、行動範囲が広くなって、関心も高まります。それぞれの言語を通じて多様な文化を知ることができ、より広い視野で世界を見つめ、物事を柔軟に考えられるようになる。それが言葉を学ぶ意味でしょう」

全国ジュニア英語スピーチコンテストなどで成績優秀者を輩出し、入学希望者が年々増えているという。

確かにどちらかひとつではなく、英語と中国語を身につける。さらにはこの2つ以外の別の外国語に取り組むことが、必要なのかもしれない。それが個々人の視野を広げ、ひいては日本の未来につながっていくのではないだろうか。

あとがき

子どもの頃からなぜか外国語に関心があった。最初はロシア語の不思議な形に魅了された。見よう見まねで、自分の名前をロシア語で書いていた。英語、中国語は意味が分からないまま、短波ラジオを通じて毎晩聞いていた。

会社に入ったあと本格的に学んだ韓国語、朝鮮語も、短波ラジオで知った。日本語とどこか似た発音を聞きながら、どんな国なのか想像を膨らませていた。

外国語といえばアジア太平洋戦争で日本は、「鬼畜米英」を叫んで、英語を日常生活から追放し、日本語に置き換えた。それだけではなく、日本が支配した国や地域に、日本語を半ば強制的に広めていった。中国とアメリカを見ていると、当時の日本にどこか似ている。相手の国の言葉を排除し、自分の国のカラに閉じこもろうとしている印象を受ける。

この本を書くため、いろいろ調べていると、よく引用されている格言に出会った。ドイツの文豪ゲーテが残したものだという。

「外国語を知らない者は母国語について何も知らない」

外国語を知ることで、初めて自分の母国語の構造や特徴を知ることができるということだが、同時に相手の国を理解する手がかりも得ることになる。

アメリカと中国をはじめ、世界が対立に満ち、フェイクニュース、陰謀論が飛び交う時代だからこそ、われわれ一人ひとりが母国語に加えて外国語を学び、相手と心を通わせる手段を持ちたい。本書がその動機のひとつになってほしいと願っている。

最後になったが、小学館出版局辞書編集室の徳田貞幸さんから的確なアドバイスをいただき、何とかまとめることができた。インタビューを受けていただいた多くの方と合わせ、この場を借りて、感謝を申し上げたい。

五味洋治

主な参考文献（本文で言及したものは除く、順不同）

「日本人と英語」の社会学　寺沢拓敬著　研究社

英語の歴史　寺澤盾著　中公新書

二つの母国に生きて　ドナルド・キーン著　朝日文庫

子どもが教育を選ぶ時代へ　野本響子著　集英社新書

アジアの英語　本名信行編　くろしお出版

中国の少数民族教育政策とその実態　アナトラ・グリジャナティ著　三元社

ＥｄＴｅｃｈが変える教育の未来　佐藤昌宏著　インプレス

世界と日本の小学校の英語教育　西山教行、大木充編著　明石書店

英語と日本軍　江利川春雄著　ＮＨＫブックス

台湾留学Ａ－Ｚ　日本台湾教育センター編

文化と外交　渡辺靖著　中公新書

近代日本と国際文化交流　芝崎厚士著　有信堂高文社

中国が世界を牛耳る100の分野　高橋五郎著　光文社新書
世界標準の英語の学び方　白川寧々、鈴木款著　学陽書房
こうして僕は自分の生き方を見つけた　笈川幸司　東洋出版
グローバリゼーションと日本語教育政策　嘉数勝美著　ココ出版
パブリック・スクール　新井潤美著　岩波新書
いま中国人は中国をこう見る　中島恵著　日本経済新聞出版
在日ウイグル人が明かすウイグル・ジェノサイド　ムカイダイス著　ハート出版
Chinese Soft Power　Maria Repnikova著　Cambridge University Press
「ラテンアメリカにおける孔子学院の活動」　桜井悌司著
　一般社団法人ラテンアメリカ協会ＨＰ
「英語の新しい役割：アジアを結ぶリングア・フランカ」　李洙任著
　龍谷大学経済学論集第46巻第５号

※その他、日本、中国、アメリカをはじめとする新聞、雑誌、ニュースサイトを参考にした。

五味洋治［ごみ・ようじ］

国際ジャーナリスト。1958年長野県生まれ。早稲田大学第一文学部卒業後、東京新聞（中日新聞社東京本社）に入社。川崎支局、政治部などを経て、韓国・延世大学校に語学留学。その後ソウル支局、中国総局の勤務を経て、米ジョージタウン大学にフルブライト留学をする。現在、東京新聞論説委員。専修大学非常勤講師。著書に『金正恩　狂気と孤独の独裁者のすべて』（文藝春秋）、『日本で治療薬が買えなくなる日』（宝島社新書）などがある。

編集：徳田貞幸

英語と中国語　10年後の勝者は

二〇二三年二月六日　初版第一刷発行

著者　五味洋治
発行人　飯田昌宏
発行所　株式会社小学館
〒一〇一-八〇〇一　東京都千代田区一ツ橋二ノ三ノ一
電話　編集：〇三-三二三〇-五一七〇
販売：〇三-五二八一-三五五五

印刷・製本　中央精版印刷株式会社

Printed in Japan ISBN978-4-09-825441-5